いまこそ知りたい！

小さな会社を強くする

「知的財産」の戦略教室

﨑山博教
エグゼクティブIPコンサルタント／弁理士

合同フォレスト

はじめに

本書は、知的財産を活用して会社に変革を起こすためのヒントを一冊に凝縮した本です。

近年、知的財産（略して「知財」）にかかわる業界では、「ＩＰランドスケープ」と称する手法に注目が集まっています（ＩＰとはintellectual propertyの略で、「特許を含む知的財産」という意味、ランドスケープは「その分野の情勢」といった意味合いです）。日本経済新聞をはじめとする新聞や、日経ビジネスなどのビジネス誌などでも「ＩＰランドスケープ」についての記事が取り上げられるようになったこともあり、知財業界以外の一般の方への認知度も少しずつ向上しています。

ＩＰランドスケープは、降って湧いたように現れた手法ではありません。この手法が提唱されるまでにも、パンテントマップと呼ばれる知財情報を分析する手法は存在していました。しかし、それまでのパンテントマップは、「単なる知財情報の分析結果」にすぎない存在であり、経営に役立てるという観点に欠けるものでした。

知的財産の担当者にとっては手間をかけてつくったマップであっても、経営陣からすれば「それで何なの?」と言いたくなるような情報分析にすぎなかったのです。

このような課題に着目し、経営に役立つ形にして知財情報を提供する手法として「ＩＰランドスケープ」が提唱され、注目を集めるようになりました。富士フイルムが化粧品業界に参入するために活用した事例など、具体的で効果の高い取り組みがビジネス誌に紹介されたこともあり、ＩＰランドスケープは大企業にとどまらず、中小企業の経営層にも注目され始めています。

しかしながら、ＩＰランドスケープは経営資源が豊富な大企業ですら、いまだ十分な取り組みができていないのが実情です。中小企業ではなおのこと取り組みは不十分な状況です。

その原因は、知的財産と経営戦略とをどのようにリンクさせればよいのかがわかっていないことにあります。

知的財産を専門に取り扱う人の多くが「知財職人」であり、知的財産については詳しいものの、経営戦略については詳しくありません。

一方、経営戦略に携わる経営陣や経営幹部は、経営戦略には気が回るものの、知的財産について詳しい人が少ないのが実情です。

そのため、経営戦略に活かすための知的財産についての取り組みや、知的財産と相性の良い経営戦略についての知識がなく、知的財産と経営戦略との連携がとれていないのです。

企業経営において知的財産と経営戦略とがうまく噛み合えば、会社を変えるパワーをもった化学反応を起こせるのに、化学反応を起こすための触媒が足りていないのです。

本書では、「知財戦略で会社を変える方法」を5ステップに分けてわかりやすく紹介していきます。第1章においては「知的財産の使い方」、第2章では「知財戦略」、第3章は「マーケティング」、第4章は「イノベーション」、第5章は「ブランディング」をキーワードに説明していきます（**図0-1**）。

2020年、新型コロナウイルス感染症（COVID-19）の流行にともない、企業規模の

図０－１ 知財戦略で会社を変える５つのステップ

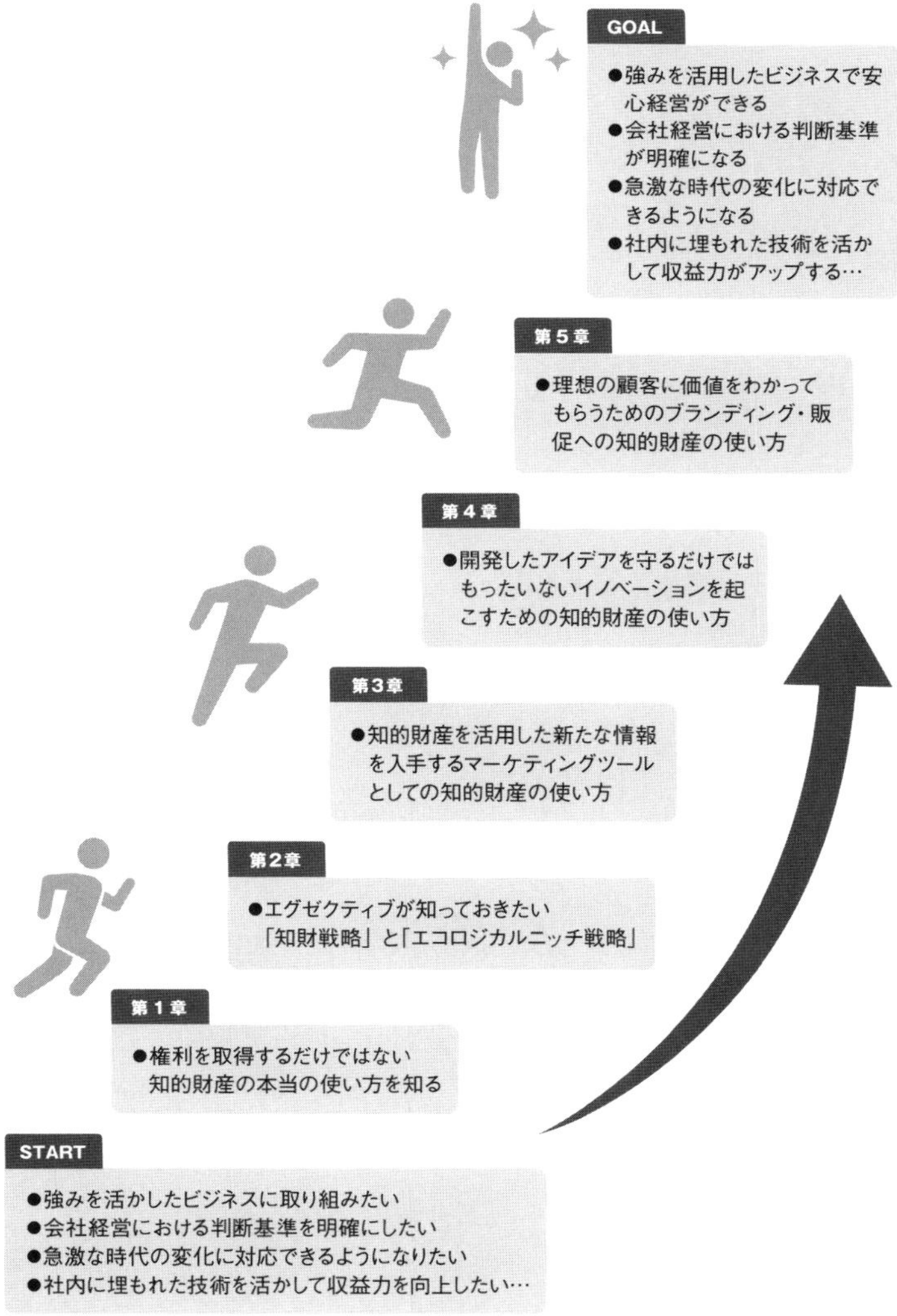
GOAL
●強みを活用したビジネスで安心経営ができる
●会社経営における判断基準が明確になる
●急激な時代の変化に対応できるようになる
●社内に埋もれた技術を活かして収益力がアップする…
第５章
●理想の顧客に価値をわかってもらうためのブランディング・販促への知的財産の使い方
第４章
●開発したアイデアを守るだけではもったいないイノベーションを起こすための知的財産の使い方
第３章
●知的財産を活用した新たな情報を入手するマーケティングツールとしての知的財産の使い方
第２章
●エグゼクティブが知っておきたい「知財戦略」と「エコロジカルニッチ戦略」
第１章
●権利を取得するだけではない知的財産の本当の使い方を知る
START
●強みを活かしたビジネスに取り組みたい
●会社経営における判断基準を明確にしたい
●急激な時代の変化に対応できるようになりたい
●社内に埋もれた技術を活かして収益力を向上したい…

大小によらず、急激かつ大きな経営方針の転換が求められる状況になりました。このような急激な時代の変化に対応し、ピンチをチャンスに転換するには、これまでにない視点による「会社を変える」ための取り組みが必要になります。

本書が知的財産と経営戦略において化学反応を起こすための触媒となり、経営に新たなイノベーションを起こす企業が一社でも多く生まれてくれることを願っています。

エグゼクティブＩＰコンサルタント／弁理士　崎山　博教

目次

第2章 エグゼクティブこそ実践したいIP戦略（知財戦略）

第3章

マーケティングツールとしての知的財産の使い方

第4章 イノベーションツールとしての知的財産の使い方

第5章

ブランディング・販促ツールとしての知的財産の使い方

第1章

エグゼクティブこそ、知っておきたい知的財産の使い道

1―4種類の産業財産権と、その他の知的財産

ビジネスにおいて必須となる2種類の財産

世の中には、2種類の「財産」があります。

ひとつは「有形財産」と呼ばれるものです。例えばお金や土地、建物、宝石など、ざっくりいうと「目に見える財産」が有形財産に分類されます。

もうひとつは「無形財産」と呼ばれるものです。**情報やアイデア、信用、ノウハウなど、「目に見えない財産」が無形財産に当たります。**

ビジネスを行ううえで、お金をはじめとする有形財産が重要なのは誰もが知るところです。それと同じぐらい、場合によってはそれ以上に重要なのが無形財産です。決算書には「のれん代」として表れることがありますが、ほとんど資産として計上されないのも無形財産の特徴です。

では、無形財産にはどのようなものがあるのか、もう少し詳しく見てみましょう。

図1－1　無形財産の種類

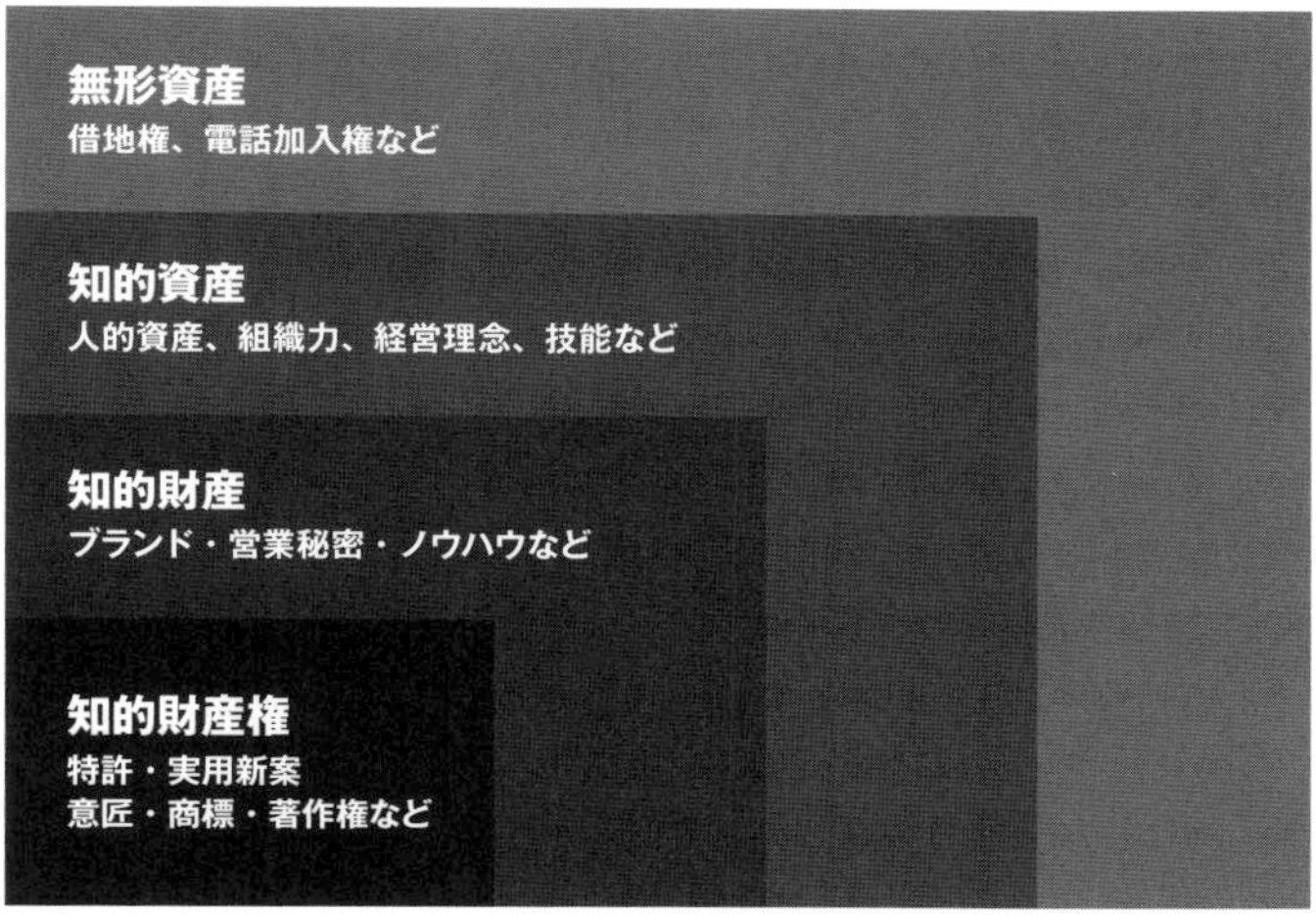

（経済産業省ホームページより一部改変して引用）

無形財産は「無形資産」と呼ばれるものと「知的資産」と呼ばれるものに分けることができます（**図1-1**）。

無形資産は、決算書において無形固定資産として計上されるものが該当します。

無形固定資産は、長期にわたって収益力の要因となりうるものであり、借地権や電話加入権などの施設に関する権利、「のれん」と呼ばれる営業権などがこれに該当します。

知的資産とは、人材や技術、組織力、顧客とのネットワーク、ブランドなど目に見えない資産のことであり、顧客名簿なども含まれるため、企業の競争力の源泉となります。これらの他に、知的資産のなかには、知的財産と呼ばれるものが含まれています。

知的財産には、発明や考案などのアイデア、デザイン、ブランド、ロゴマーク、ノウハウ、図面などが含まれています。知的財産に含まれるものを権利の形にしたのが、知的財産権と呼ばれるものです。知的財産権には、特許権、実用新案権、意匠権および商標権からなる4種類の産業財産権や、著作権などの権利が含まれています。

技術的なアイデアを権利化すると、特許権や実用新案権という権利になります。また、物のデザインを権利化すると、意匠権という権利になります。ネーミングやロゴマークなどのトレードマークを権利化すると、商標権という権利になります。

特許権、実用新案権、意匠権、商標権の4種類の権利は、産業財産権とも呼ばれ、特許庁に対して申請手続を行うことによって権利化することができます。また、書籍や音楽、映画などの著作物には、著作権という権利が発生します。

図1-2に示したように、知的財産権には、これらの権利の他にもさまざまな権利がありますが、これらのなかでも産業財産権に含まれる4種類の権利と著作権については、ほとんどのビジネスにおいて重要な位置づけとなります。

図1－2　知的財産権の種類、根拠法と管轄官庁

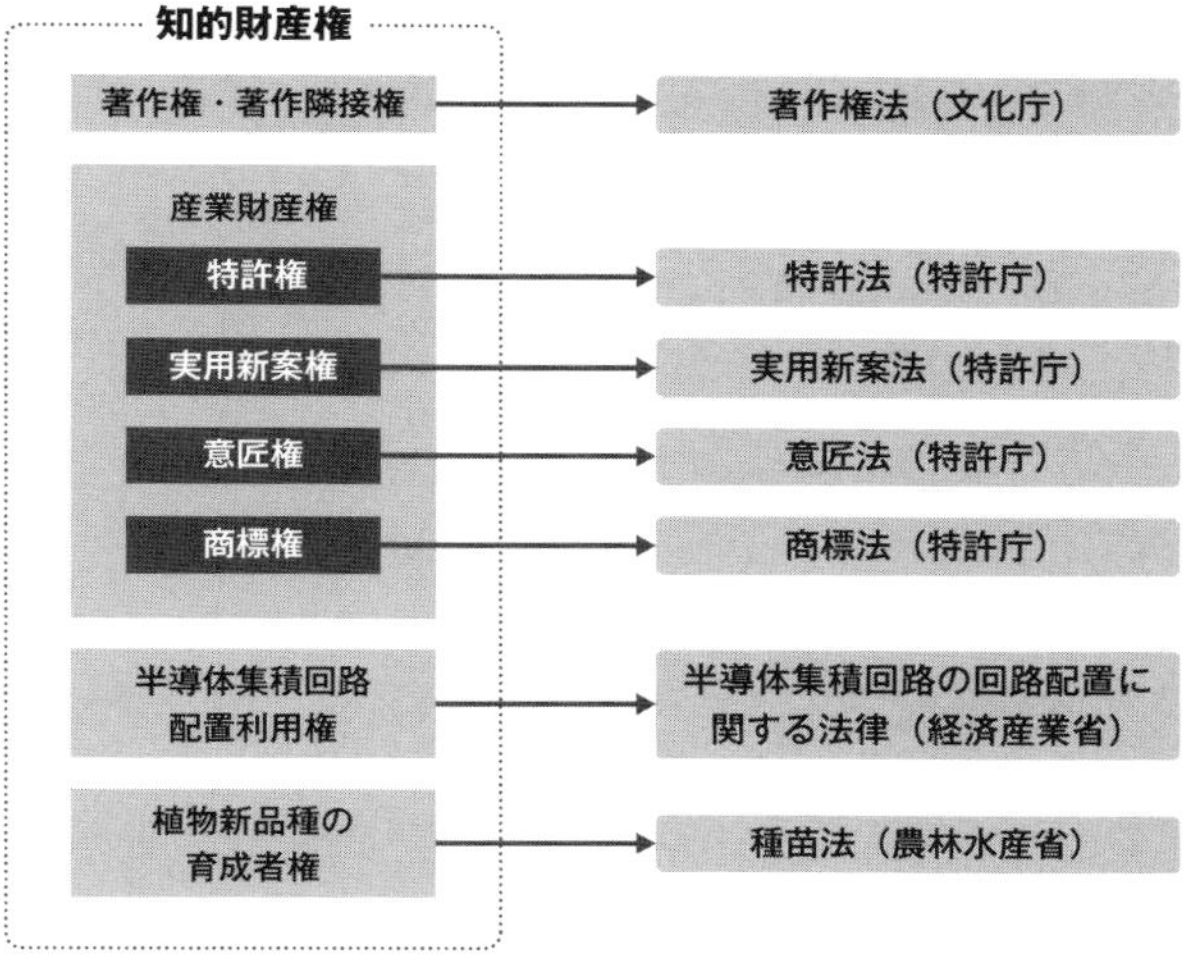

法制度の細かいことは、必要なときに調べたり、知的財産の業務を行う担当者や弁理士に任せたりすれば問題ありません。しかし、**どのような制度があるのかや、権利を取得する以外に工夫次第でいろいろな使い方が考えられるということを知っておけば、知的財産をビジネスに活かすことができます。**

本章では、法制度を簡単に説明しながら、特許や商標などの知的財産権をビジネスに活かす方法について説明します。

2 参加することに意義がある!? 特許出願・特許権の使い方

特許出願は、いうまでもなく特許権を取得するために行うものです。

では、特許権が取れなければ、特許出願をする意味はないのかというと、そうではありません。**むしろ、特許出願をしたあと、審査の結果が出るまでの期間（通常は4～5年程度）の間に、いかにして計画的にビジネスを展開し、特許出願を役立てるのかが重要になります。**

以下、特許出願で得られる効果について、例をあげて説明します。

①広告宣伝効果・販売促進効果

特許出願をすると、審査結果が出るまでに4～5年かかります。この期間中は、広告やホームページ、チラシ、商品などに「特許出願中」「特許出願済」といった表示をすることができます。「特許出願中」「特許出願済」というキーワードが掲載されているのといないのとでは、消費者に与える印象がまったく異なります。

ある食品メーカーのA社が、商品のラベルに「特許出願中」という表示を入れた場合と、入れなかった場合とで、消費者の購買意欲がどのように変わるか実験をしました。その結果、「特許出願中」という表示を入れた商品を「買いたい」とした人が圧倒的に多く、同社の予想を上回るものでした。

A社は「特定保健用食品」などの表示とも比較しましたが、ここでも「特許出願中」という表示のほうが購買意欲が高まるという結果が出ました。

このような効果は、他の分野でもよくみられます。例えば東京大学に受験願書を提出しさえすれば、誰でも「東大受験生」になれます。たとえ不合格だとしても、勉強ができる人を想像させる、「『東大受験生』効果」とも呼ぶべき効果が得られます。

このように**「特許出願中」という言葉には、商品のブランド力や集客力を高める効果が期待できます**。もちろんモノが良くなければ、たとえ集客できてもすぐにメッキが剥がれてしまい、顧客からの信用をなくすことになります。

ですから、ただ単に「売れればよい」という考えで「特許出願中」を使うことはやめておきたいものです。

世の中には、「良いものなのに売れない」商品が数多くあります。そういう商品を、まずは手に取ってもらい、良いものであることを実感してもらうツールとして「特許出願中」という言葉を使うことを目的に特許出願にチャレンジしてみるのは有効です。

特許出願には、それなりの費用がかかります。しかし、下手な広告を打ったり、販売促進のための施策を講じたりすることと比較すれば、十分に元が取れる投資といえます。

②アイデアの見える化と深掘り

特許出願をするためには、アイデアの内容を文章や図面にして、書面の形式で特許庁に提出する必要があります。

アイデアは、「物」の形にすることができます。しかし、その「物」はアイデアを具現化したひとつの形態にすぎず、さまざまなバリエーションがあり得ます。アイデアを文章化したり、それを説明するための図面を作成したりすることにより、「物」の形にしただけでは見えなかったアイデアの広がりが見えてきます。

特許出願をするためには、特許庁で規定されている所定のフォーマットにのっとって、「明細書（いわばアイデアの説明書）」や、「特許請求の範囲（権利取得したい範囲を規定するための文書）」、そして明細書に記載したアイデアの説明を補足するための「図面」などを作成する必要があります。

特許出願に用いる「明細書」は、従来技術の内容、その技術における課題とそれを解決するための手段、その手段を具現化した実施例を順番に記載するようにフォーマットが規定されています。

明細書を作成する際には、自社や競合他社の従来技術について調査を行い、その結果に基づいてどのような課題があるのかを明確にし、課題を解決するためのアイデアがどのようなものであるのかについて、文章の形で整理することができます。

また、そのアイデアを実現するための実施例も書かなければならないので、絵空事で終わるようなビジネス展開ができないアイデアではなく、どのように展開できるアイデアなのかを具体的に想定して文章化することができます。

さらに、それを図面にして、ビジュアル面でも明確化できます。

「特許請求の範囲」という書類を作るためには、明細書に記載した具体的な実施例を抽象化して文章にする作業を行う必要があります。特許出願に用いる「明細書」と「特許請求の範囲」を作成することにより、アイデアを具体化する作業と、アイデアを抽象化する作業の両方が行えるのです。

このように、特許出願書類の作成は非常に高度な思考作業が必要になるため、多くの企業では、特許事務所に所属している外部の弁理士に依頼しています。

外部の弁理士は、そのアイデアの技術分野についての知識が、どうしても社内の開発者に比べて不足することがあります。しかし、外部の者だからこそ「予期せぬ質問」をできたり、開発者が「常識」と思っていたことが「常識ではない」ことに気づかせたりすることができます。

また、外部の弁理士に発明の内容を説明するためには、特許明細書を作成するのと同様に、自社や他社の従来技術がどのようなものであり、どのような点に差別化のポイントがあり、どうやって実現するのかを、口頭や資料で伝える必要があります。

こうした作業を行うことにより、頭の中の整理ができます。そうして、自分たちでは気づかなかった観点によりアイデアのブラッシュアップをすることができるのです。

このように、**特許出願を単に特許権を取るための作業として捉えるのではなく、アイデアの見える化や深掘りをするものとして捉えれば、出願するだけでも大きな価値を手に入れることができます。**

③技術的な強みの発見ツールとしての活用

特許出願後、特許庁の審査官から審査結果を受ける際、出願当初は想定していなかった証拠や論理により、出願したアイデアの新しさ（新規性）の否定や、アイデアに到達することの困難さ（進歩性）などを指摘する「拒絶理由通知書」（P．102参照）が送付されることがあります。

特許庁の審査官は、技術分野ごとに担当が振り分けられています。そのため、拒絶理由通知において、従来技術の例として引用する文献は、その技術分野におけるプロフェッショナルが厳選した、自社技術にもっとも近い他社技術に関する文献である可能性が高いのです。

拒絶理由通知で指摘された新規性や進歩性についての問題を解消するため、通知で引用された文献と差別化できるポイントを探すことにより、自社技術の強みの発見につながります。

拒絶理由通知への対応を、単に特許権を取得するための手続きという捉え方ではなく、自社技術の強みを発見するために有益な方法として捉えれば、特許出願を有効活用することができます。

④他社けん制効果、参入障壁の構築

特許権を取得すれば、特許権を侵害する他社の実施行為を差し止めたり、実施行為により受けた損害の賠償を求めたりすることができます。特許権の取得は自社のアイデアを他社に模倣されるのを防止するのに有効であり、自社のビジネス領域に他社が参入してくるのを抑制するための強力な障壁となります。

特許権が発生すると、このような効果が法的に発生しますが、特許出願の段階でも補償金請求権という法的な権利が発生します。

補償金請求権というのは、公開された特許出願の内容を実施している他社に対して、一定の条件下において、ライセンス料（実施料）に相当する金額の補償金を請求する権利です。

出願段階ではこのような権利が発生しますが、アイデアについて特許申請をしておき、「特許出願中」と記載しておくことで、他社に対して大きなけん制効果を発揮し、参入障壁を構築することができます。

実際、開業されたばかりの個人事業主Bさんが、自社商品の特許出願を行ったところ、名だたる大企業が自社のアイデアを模倣しようと何社もアプローチしてきたそうです。当初は「こんな大企業とコラボでもできるのかな」と思ったそうですが、単に技術を模倣しようとしていることがわかったので、特許出願中であることを前面にアピールしたところ、すべて排除することができたそうです。

アプローチしてきた大企業のひとつであるX社の担当者Yが、「仮に個人事業主レベルのBさんが特許権を取得しても、わが社を相手に訴訟を起こすだけの経営的な体力もないし、うちほどの販売力もないでしょうから、特許権が発生してもかまわず実施するし、販売数でもわが社が圧倒しますよ」と言われたそうです。

担当者Yにはコンプライアンス意識のかけらもありませんでしたが、その大企業X社では万が一特許権が発生した場合のリスクを考慮して、稟議《りんぎ》が通らなかったようです。

その結果、X社も排除することができました。また、別の大企業Z社からもアプローチがありました。Z社はBさんの特許出願を回避するように商品開発を試みたものの、どうしてもうまくいきませんでした。結果、Z社はBさんの特許権が発生していない段階から、Bさんとライセンス契約を行いました。

別の事例ですが、C機械工業という機械製作メーカーでは、図面やパンフレット、取引書類などに「特許出願中」と表示したところ、特許を出願しているほどの他社が作れない装置である、と付加価値が認められ、コンプライアンスが求められる大手企業との取り引きもスムーズにいくようになりました。

それまでは相見積もりの対象とされていましたが、他社が実施できないものと認められたおかげで、独占的に業務を請け負えるようになったそうです。

これらの事例はほんの一部ですが、特許権が発生する前であっても、「特許出願」を活用

図1－3　一般的な特許戦略と利益重視の特許戦略の違い

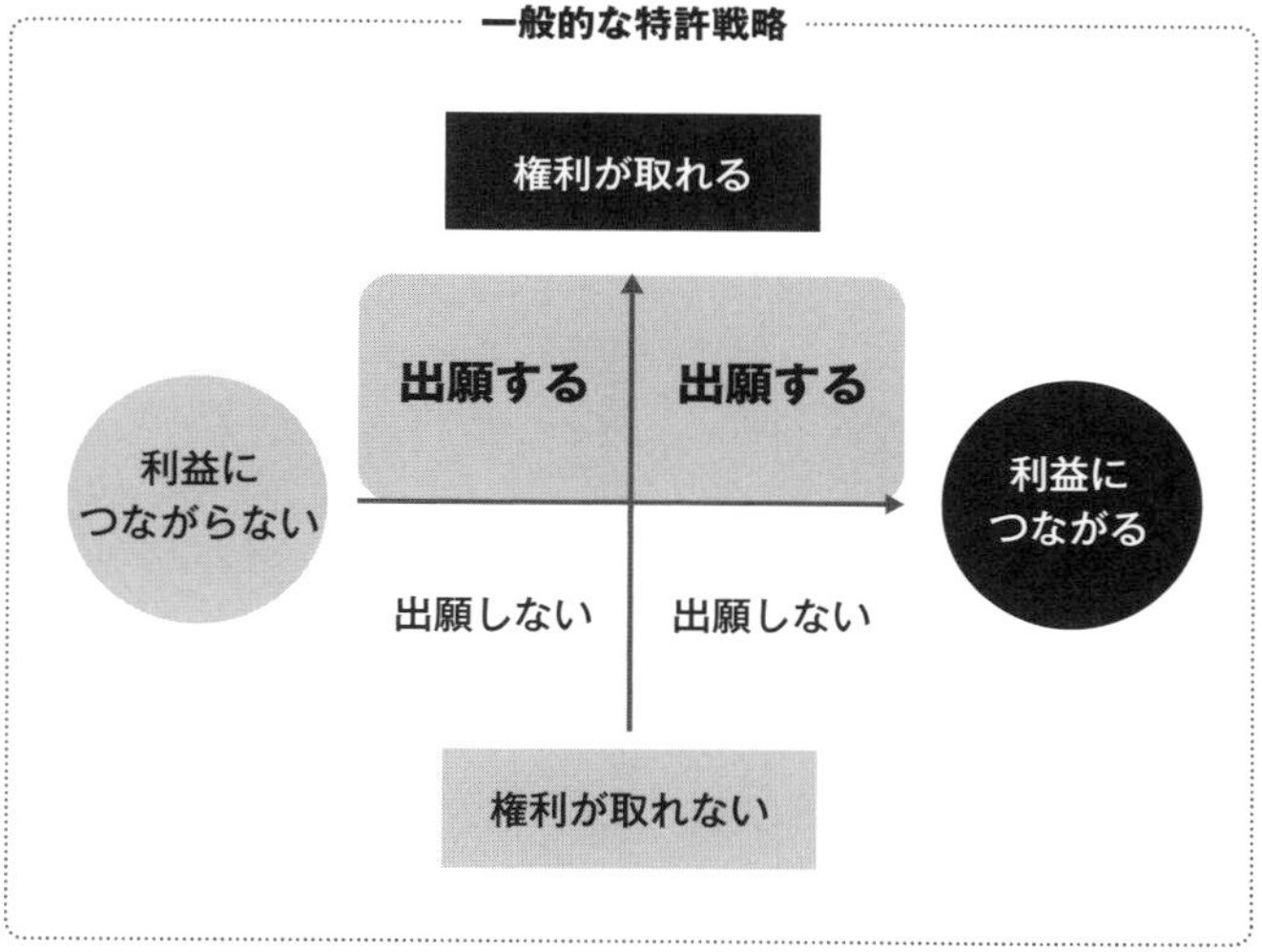

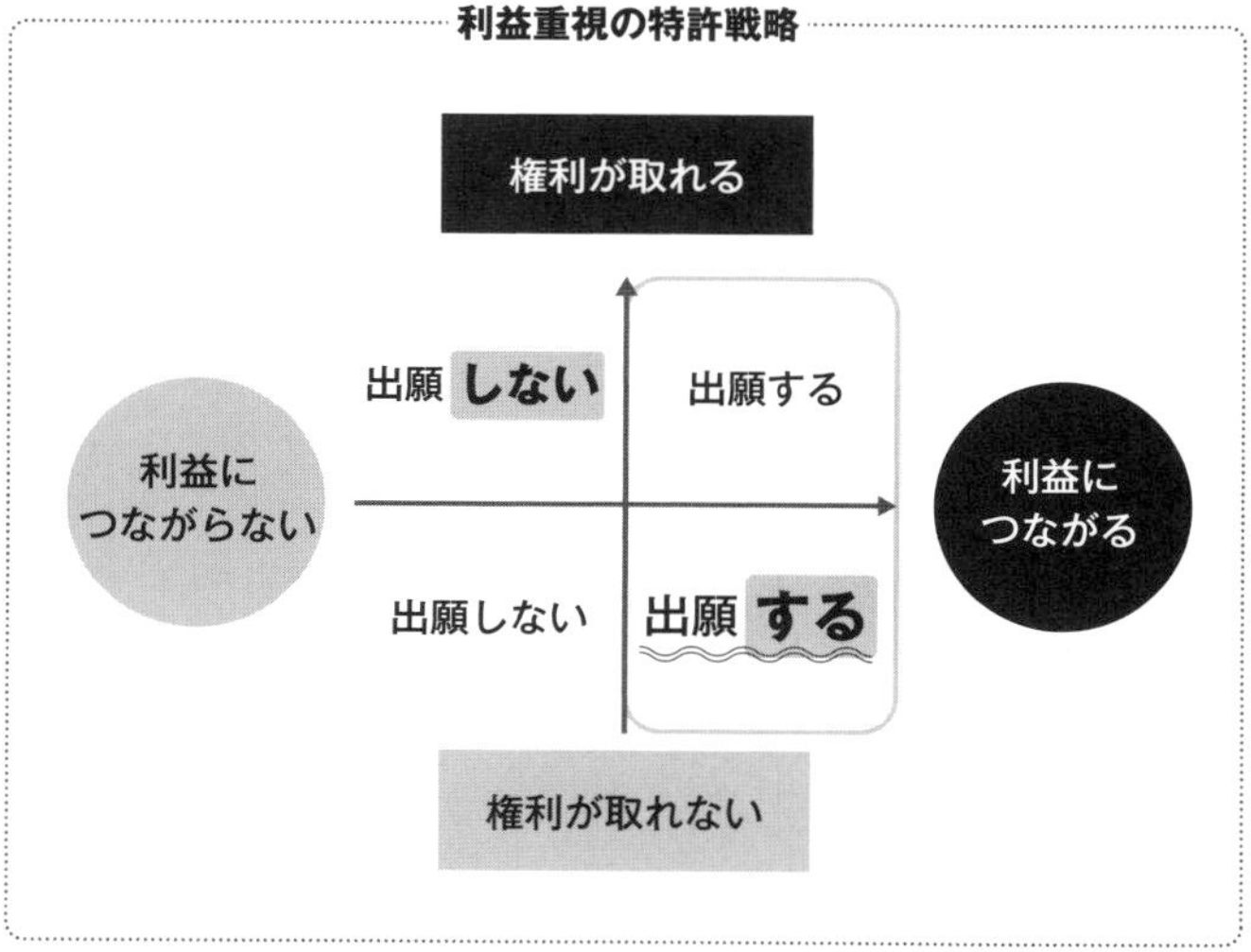

することにより、強力な他社けん制効果や、参入障壁の構築を図ることができます。また、**図1-3**に示すように、**権利を取るよりも、権利を取るまでの間に得られる効果を重視して、権利が取れるか否かだけの判断軸ではなく、権利を取るまでの間でビジネスの利益につながるかどうかの判断軸で特許出願を判断するのも良い方法です。**

権利を取ることや権利を行使することに固執せず、頭を柔らかくして発想すれば、特許制度がこれまで以上に利益につながるツールとして使えるのです。

3 実用新案制度のうまい使い方

実用新案権は、かつては特許と同様に審査が行われていましたが、現在は審査を経ずに登録できます。そのため、他人に対して権利行使をするときは自己責任が問われ、これでは使いものにならないという意見が多く聞かれます。現在の制度への変更を決めた人でさえ、「こんなに使い勝手が悪くなるとは思わなかった」とこぼしたそうです。

そのような制度とあって、弁理士や知的財産権にかかわりのある人たちには、「実用新案を顧客に出願させるなんてぼったくりのようなものだ」と考える人もいます。

しかし、実用新案制度は本当に使いものにならないのでしょうか？「行使できない権利に意味はない」というご意見ももっともです。ただ、「権利行使」以外の有効な使い方があるのなら、実用新案権を取得することも有意義なのではないでしょうか。有効な使い道があるのなら、面倒で時間のかかる手続を行わなくても済む分、特許権よりも使いやすい権利といえるのではないでしょうか。

実用新案権をうまく使う方法は多くあります。以下に上手な使い方の例を紹介します。

①出願から3年間の権利としての使い方

特許制度や実用新案制度には、特許出願を実用新案登録出願に乗り換えたり、その反対をするための「出願変更」と呼ばれる制度が設けられています。特許出願をしたものの、実用新案で十分と考えた場合には、実用新案登録出願に乗り換えることができます。反対に、例えば訴えを起こしたい相手が出現したものの、実用新案権ではリスクが大きいと考えたときは、特許出願に変更することができます。

ただし、実用新案から特許への変更ができるのは、実用新案登録を出願したものが登録されるまでの間に限定されます。実用新案制度は無審査で登録がなされるため、出願から数カ月で登録されます。つまり特許への出願変更が行えるのは、出願後わずか数カ月の間に限定されてしまいます。

実用新案から特許への変更は、制度としてはあるものの、実質的にはほとんど使えない制度といえます。

こうした問題を解消するため、実用新案が登録された後でも、出願後3年以内であれば実用新案登録された権利を放棄することを条件に、特許出願に乗り換えられる新たな制度（実用新案登録に基づく特許出願）ができました。期間が3年間に規定されたのは、特許制度において「出願から3年以内に出願審査請求を行わねばならない」ことに揃えたためです。

特許出願を行った場合において、出願審査請求ができる期限（出願から3年）のギリギリまで出願審査請求を行わなかった場合は、出願から3年間にわたって特に権利が発生することなく過ぎます。かたや、まずは実用新案登録の出願を行い、出願日から3年の間に特許出願を行った場合は、特許制度では何も権利が発生しない出願から3年間の期間において、実用新案権を維持することができます。したがって、**特許出願を行った場合、空白期間となる3年間にも何らかの権利を取得しておきたい場合は、実用新案登録出願を行うことで権利を確保することができます。**

某地方公共団体が、地元企業の活性化のために競争入札なしに優先的に購買する特別な制度を設けたとき、私はその購買先を選定する審査員として参加したことがあります。そのとき参加していた企業のひとつに、実用新案権を取得していることをアピールする会社がありました。その会社の面接審査の際に、「一般的には実用新案権は競合他社が出てきても訴訟などを起こすうえでハードルの高い権利であると言われているのですが、なぜあえて実用新案権を取得したのですか？」と質問しました。そのとき、その企業の担当者が、「今回はこのプロジェクトへの応募のために、あえて実用新案権を選びましたが、いざとなれば実用新案権を放棄して特許権が取れるように準備しています」と回答されましたので、合格点を付けました。このように、権利という形になっているか否かがポイントの場合も、実用新案権は有効に使えます。

②他社けん制力、ブランディング力を高めるためのツールとしての使い方

知的財産に詳しい人なら「実用新案か…」と思われ、ブランディングにならないかもしれませんが、そうでない人が相手なら、実用新案登録をされていることが、他社けん制やブランディングに使えるケースがあります。

例えば個人経営の飲食店などのように、同業他社がそれほど知的財産に詳しくない業界であれば、何かしらの権利を取得しておき、アピールすることで同業他社に「うかつに手を出せない」と思わせることができます。

シリンダー錠を複数取り付けることで空き巣に「侵入するのが面倒な家だ」と思わせ、空き巣対策に有効といわれるのと同様に、ビジネスを行ううえで非常に大切な「知的財産」を守るためには、他社に「面倒」と思わせることが重要なのです。

実用新案権は、他社に面倒と思わせるためのツールとしてとても有効です。

例えばある会社のアイデアを狙う同業他社が、そのアイデアに実用新案権が発生しているらしいという情報を聞きつけると、まず真偽を調べる手間がかかります。そして、実用

新案権が存在していることがわかった場合、何をすると実用新案権の侵害になるのかの判断に悩みます。どこかに相談しようにも、知的財産についての知識が乏しいため、どこに相談したらよいのかがわかりません。

弁理士に相談すればいいとわかっても、他社のアイデアを模倣するための相談ですから、そもそも相談していいのかと悩んだり、費用が発生するのではと悩んだりするでしょう。

このように、実用新案権があることで模倣するのが面倒になり、二の足を踏むケースが多いのではないでしょうか。

実際、飲食店経営者からの相談で、「近所の店がテイクアウト用の商品について実用新案を取ったとチラシに書いているのですが、普通のものにしか見えません。でもやはり同じようなものを作ってはだめですよね」と相談を受けたことがあります。

「実用新案権取得済み」という言葉が書かれているだけで、その権利がどんなものかを調べることもなく躊躇《ちゅうちょ》してしまったのです。まさに実用新案権によるけん制効果がバッチリ効いている状態でした。

我われ専門家がこのような相談を受けたとき、「大丈夫、心配ないですよ」などと即答はできません。実用新案権が発生しているアイデアが新規性や進歩性を有するものであるなら、訴えられるリスクがあるからです。きちんと調査や鑑定を行わない限り、せいぜい「訴えられるリスクは特許よりは低いかもしれませんが…」程度しか言えません。

また、弁理士が実用新案権について鑑定をしても、漏れがある可能性が否定できないため、大手を振って同じようなものを作れる状況にはなりません。

安心して実施できるようにするためには、実用新案権が無効なものであるとして、特許庁に訴える手続（無効審判という手続です）を取る必要があります。無効審判には数十万円の費用と労力がかかります。そこまでして実用新案権として登録されているものを実施するかというと、よほどでないとやらないでしょう。

実用新案権は、訴えるために使うには非常に扱いにくい権利ですが、他社に実用新案権を取られてしまうと案外面倒なことになります。こうした特性を踏まえて戦略的に使いこなせば、特許が取れないものであったとしても、一定のけん制効果を得るためのツールとして活用できるのです。

4 お花見に学ぶ、特許制度と意匠制度との使い分け方

私のところに相談に来られる方のなかには、「特許か意匠か、どちらの権利を取るのが良いでしょうか？」という質問をされる方がいます。

このような質問に対して、私は「お花見の場所を確保する方法」を例にあげて説明します。

特許出願は、アイデアという広がりのある概念について権利を取るためのものです。お花見でレジャーシートを広げて場所取りをするように、面的な広がりがあるものとして権利がほしい範囲を主張することです。

対する意匠出願は、デザインという、一見して把握できるそのものの形態について権利を取るためのものです。お花見の場所を確保するために地面に杭を打って看板を取り付けるようなイメージで、権利がほしい範囲をピンポイントに指定します。

意匠権を取得することで確保できる権利範囲も、図面などで指定したデザインそのものと、これに類似する範囲という、きわめて狭い範囲に限定されます。お花見の場所取りで

一本の杭を打って看板を付けるだけでは、杭を打った場所とその周辺のごく限られた範囲しか確保できないのと同じです。

意匠権はこのように権利範囲が小さな範囲に限定されますが、範囲を広げる方法があります。関連意匠制度という制度を用いてバリエーションの意匠にまで意匠権を確保すれば、権利範囲を拡張することができるのです。お花見の場所取りに例えるなら、場所を確保したいエリアを囲むように何本かの杭を打ち、杭同士をロープでつなぐことで、囲まれた場所を確保するのに似ています。

また、保護したいもののデザインを意匠権で保護しながら、保護対象に含まれているアイデアを特許権や実用新案権で保護することもできます。特許権や実用新案権を取得するとともに、意匠権も取得することができれば、レジャーシートを広げながら杭まで打ってお花見の場所取りをするかのように、万全の態勢で自社商品を保護することができます。

意匠権をうまく活用すれば、自社商品そのもののデザインをピンポイントに保護するだけでなく、関連意匠制度などの意匠法特有の制度を活用したり、特許権や実用新案権などの他の権利とのコラボレーションによって、商品の守備範囲を広げたりすることができます。

5　ネーミングひとつで価値を変貌させる、商標の使い方

商標権は、商品やサービスに使用されるロゴマークやネーミングなどの商標を保護することにより、「業務上の信用」を守るものです。業務上の信用を表現するのに適切な商標を採用することは、商品やサービスの提供を通じて顧客に提供する価値を高めるうえで有効な手立てです。また、顧客に提供する価値を高めることができる商標を商標権で守ることは、他社に対して差別化や独自化を図るうえで欠かすことができません。

ここで、商品やサービスについての商標を変更することで、顧客に提供する価値を変貌させて大成功を収めている事例をいくつか紹介しましょう。

例えば、伊藤園の「お～いお茶」です。

「お～いお茶」といえば、コンビニエンスストアやスーパーマーケットなど、どこのお店

でも売っている、緑茶飲料市場でシェアナンバーワンを誇るメジャーな商品です。

最近でこそお茶や清涼飲料水はペットボトルで販売されることが多くなりましたが、ひと昔前はアルミ缶やスチール缶に入れた状態で販売されていました。そのため、「お～いお茶」という名前に商品名が変更される前は、「缶入り煎茶」という、商品の内容をそのまま表現した商品名で販売されていました。しかし、「缶入り煎茶」という名前で販売していた当時は、鳴かず飛ばずのまったく売れない商品でした。

ネーミング変更が行われたのは、1989年のこと。家族だんらんの場で飲むお茶をイメージした「お～いお茶」という商品名に変更したのです。その結果、名前を変えた初年度で、売上が6倍の40億円に跳ね上がりました。

ちなみに、伊藤園という会社の名称も、ネーミング変更で成功した事例のひとつです。

前身はフロンティア製茶という名前の会社でした。フロンティア製茶は、当時量り売りが常識であったお茶の業界において、茶葉を小分けにして、パック入りのお茶を販売する営業スタイルで業績を伸ばしていました。しかし、創業者である本庄正則《ほんじょうまさのり》氏と、その弟である本庄八郎《ほんじょうはちろう》氏は、さらなる成長を目指し、茶葉を仕入れて販売する流通業的なビジネスモデルから、自社でお茶製品を作るビジネスモデルへの転換を目指していました。

そのためには、業界のしきたりでもある「のれん」をもつことが大事と考えた創業者は、取り引きのあったお茶問屋が所有していた「伊藤園」ののれんを譲り受け、社名を変更したのです。

同じお茶を売っていても、「フロンティア製茶」というカタカナの社名と、「伊藤園」というといかにも歴史がありそうな社名とでは、顧客に与える情緒的価値がまったく異なります。伊藤園は製品名だけでなく、社名も変更することで成功を収めた典型的な事例のひとつです。

同様に、ネーミングひとつで価値を変貌させて大成功を収めた事例はたくさんあります。例えば、ネピアの「鼻セレブ」という商品。保湿性の高いティッシュペーパーで、独特の柔らかい手触りが特徴の商品です。

今や花粉症の人にとっては手放せない商品になっているのではないでしょうか。

今でこそ「鼻セレブ」は、価格競争の激しいティッシュペーパーの商品群のなかでも、他の商品よりも高いのに売れる不動の地位を確保していますが、「モイスチャーティシュ」という名前で販売されていた当時は、なかなか売上が伸びず苦戦をしていました。

そんな状況を打破するため、2004年にネーミング変更が行われました。100以上の案のなかから「鼻」という漢字が与えるインパクトと、「セレブ」という高級感を与える言葉が醸し出すインパクトと覚えやすさが決め手になり、現在の名称になりました。

商品名の変更に合わせ、パッケージについてもゴマフアザラシやウサギなど、商品の特徴である「ふわふわ感」や「やわらかさ」をイメージしたものに変更。これを機に、売上が10倍以上に跳ね上がったのです。


ビジネスマン向けの抗菌防臭靴下「通勤快足」も同様です。1981年の発売開始当初は、「フレッシュライフ」という商品名で販売されていました。当初こそ年間売上が3億円でしたが、その後売上は低迷しました。

ところが、1987年に「通勤快足」と商品名を変更するや、年間売上が13億円に、1989年には45億円の売上を誇る大ヒット商品になりました。発売当初に比べて15倍の年間売上をたたき出す商品に変貌したのです。

このように、ネーミング次第で商品の価値が大きく変貌します。ネーミングは商品やサービスの提供を通じて、顧客に提供する価値を高めるために必要不可欠な存在です。このよ

うな価値あるネーミングを商標権で守ることは、他社に対して、差別化や独自化を図るうえで必要不可欠であるのと同時に、そのネーミングがもつ「業務上の信用」を商標権で守ることは、その商品や会社に価値を感じてお金を出してくれる顧客に対し、責任ある企業として果たすべき義務ともいえるものなのです。

6　著作物を守る著作権とは

著作権とは、例えば音楽や文章、絵などの著作物について、複製したり、翻訳、放送、上演などを行ったりするのをコントロールする権利です。

著作権制度は、著作者が著作物を作成した段階で、自動的に著作権が発生する制度になっています。そのため、特許や実用新案、意匠、商標のように、出願（申請）のための手続を行ったり、審査を受けたりしなくても、権利が発生する仕組みになっています。

また、「著作権」は、たくさんの権利の集まりという概念とされています。

まず、著作権制度においては、「著作権」には財産権的な権利と、著作者の人格保護に関する人格権的な権利、著作物を伝達する人などに与えられる著作隣接権という権利が含まれているという考え方が採用されています。

非常にややこしいのですが、「著作権」のうち、財産権的な権利のことを「著作権」と呼んでいます（両者を区別するために、財産権的な権利である「著作権」のほうを「著作財産権」と呼ぶこともあります）。また、人格権的な権利のほうを、「著作者人格権」と呼んでいます。

著作財産権は、財産的な価値を有するものであり、他の財産である金品などと同じく、譲渡可能な権利とされています。これに対し、著作者人格権は、著作者の人格を守るための権利であるため、著作財産権のように他人に譲渡することができない権利とされています。

著作財産権のなかには、著作物を複製するための複製権や、翻訳するための翻訳権、譲渡するための譲渡権、インターネット配信などをするための公衆送信権、貸与するための貸与権など、コントロール対象となるものに応じてさまざまな権利が規定されています。

そのため、著作権についてライセンス契約をしてもらったとしても、著作財産権に含まれるもののうち、どの権利についてのライセンスをもらったのかを把握していないと、うっかり権利侵害をしてしまうケースがあります。

例えば複製権についてのライセンス契約を行った場合には、著作物の複製をすることはできるのですが、その著作物についてインターネット配信をしてしまうと公衆送信権の侵害に当たり、罪に問われることになります。

また、著作者人格権のなかには、公表権、氏名表示権、同一性保持権という3つの権利が含まれています。

公表権とは、著作物の公表を許可するか否か、公表する方法、公表する時期などをコントロールする権利です。この権利により、著作者が意図しない方法や時期に公表されてしまうのを防止できます。

氏名表示権とは、著作物に著作者の氏名を表示するか否か、表示する氏名の内容を実名にするか、芸名などの変名にするかといった氏名の表示についてコントロールするための権利です。

同一性保持権とは、著作物の内容を無断で改変されないようにする権利です。この権利は、森進一《もりしんいち》さんの代表曲である「おふくろさん」の作詞家、川内康範《かわうちこうはん》さんが森さんに対して激怒した事件で有名になりました。森さんが紅白歌合戦で同曲を歌唱したとき、オリジナルにはない台詞《せりふ》が無許可で足されたのを受け、川内さんが同一性保持権の侵害であるとして、「もう森には歌ってもらいたくない」と宣告したものです。

その後、川内さんが亡くなり、遺族の許可が出るまで「おふくろさん」は封印された状態になりました。

同一性保持権をはじめとする著作者人格権の存在は、芸能文化の分野だけでなく、ビジネスの場面においても注意を払うべきものです。


著作者人格権は、複製権などが含まれる著作財産権とは異なり、譲渡などしてもらうことができないという特徴がある権利です。

例えばホームページやロゴマークなどの作成や、ソフトウエアの開発などを外部に委託した場合は、これらについての著作財産権については譲渡などを受けることができますが、著作者人格権については譲渡などを受けられません。

そのため、自社が外注したものであるにもかかわらず公表できない状態に陥ったり、外注先に所属する著作者の名前を入れなくてはならなくなったりするといった問題が発生しかねません。

また、外注して作ってもらったホームページについて同一性保持権が行使されると、ホームページの内容を更新することができなくなってしまいます。このようなトラブルが発生しないように、外注先との間で結ぶ契約書には、著作財産権の譲渡などについての契約条項を入れるのに加え、譲渡を受けることができない著作者人格権を行使しないという権利不行使の契約条項も忘れずに入れておかないと、後々、問題が発生する可能性があります。

このように、ビジネスの現場でも思わぬトラブルに巻き込まれることがありますので、経営に責任をもつエグゼクティブであれば、ここで紹介した内容は十分理解しておきましょう。

著作権法をはじめ、特許や商標などの産業財産権に関する法律は、世の中の流れや要望に応じて頻繁に法改正がなされます。２０２０年６月にも著作権法が改正され、違法ダウンロード規制の強化や、違法にアップロードされた著作物が掲載されているサイト（リーチサイト）についての対策などが講じられています。知的財産を活用してビジネスを行う以上は、これらの法改正には敏感になっておきましょう。

第1章

ここがポイント!

- お金や不動産などの目に見える「有形財産」だけではなく、アイデアやブランドなどの「無形財産」を経営資源として有効活用。

- アイデアを特許権や実用新案権として権利化するだけでは、経営資源として有効活用しているとはいえない。権利化を目的とするのではなく、利益につなげることを念頭に置いて、戦略的に出願制度の活用を!

- 保護範囲が狭い意匠権でも、関連意匠制度を活用したり、特許や実用新案と組み合わせたりする工夫をすることで、経営資源としての価値が高まる。

- ロゴマークやネーミングなどの商標は、商品やサービスの価値を変貌させるパワーを秘めた貴重な経営資源。商標権を取得して、しっかりと活用を!

- ビジネス上のトラブルの原因となりやすい著作権は、著作者人格権の存在などに十分な注意が必要。

第2章

エグゼクティブこそ実践したいIP戦略（知財戦略）

1　経営者、経営企画、商品企画に携わる人こそ知的財産が必要な理由

エグゼクティブ－P戦略（知的財産戦略）とは

「エグゼクティブ」という言葉にはどのような意味があるのでしょうか。『広辞苑』では「企業の上級管理職」と、大変シンプルに説明されていますし、多くの方も同じように捉えているのではないでしょうか。企業の最高経営責任者を指す「ＣＥＯ」も、Chief Executive Officerの略称ですから、「企業の上級管理職」という意味に異論を唱える人はいないと思います。

一方、経営学の父と呼ばれるＰ．Ｆ．ドラッカー氏は、著書『経営者の条件』で、「エグゼクティブとは行動する者であり、物事をなす者である」と言っています。また、「エグゼクティブにとっては、いかなる知識といえども行動に転化しない限り、無用の存在である」とも言っています。

同じことがＩＰ戦略にも言えます。**いまだかつてない経営環境の変化や、社会常識の変**

革が起ころうとしている今日、経営判断の根拠や、経営資源として知的財産を活用する能力が、これからの経営者や経営幹部には非常に重要な能力となるのは間違いありません。

言い方を変えれば、経営判断により行動を起こし、物事をなすことができる立場にあるエグゼクティブであるからこそ、会社を変えるための原動力として知的財産を戦略的に活用することができるともいえます。

本書では、**経営において行動を起こせる人が、経営や事業のために知的財産を積極的に活用する知財戦略を「エグゼクティブIP戦略」と定義しています。**

ドラッカー氏は、著書『明日を支配するもの』において、「変化はコントロールできない。できることは、その先頭にたつことだけある」また、「変化はリスクに満ち、楽ではない。悪戦苦闘を強いられる。だが、この変化の先頭にたたないかぎり、企業、大学、病院いずれにせよ、生き残ることはできない。急激な構造変化の時代にあっては、生き残れるのは、自ら変革の担い手、チェンジ・リーダーとなる者だけである」と述べています。新型コロナウイルスの影響で急激な社会構造や認識の変化が起ころうとしている今、変化の先頭に立つ「チェンジ・リーダー」になることが求められており、それができない会社は淘汰《とうた》されていくと予想されます。知的財産を経営戦略や事業戦略に取り込んでいない企業が多い今こそ、チェンジ・リーダーになるためにも、「エグゼクティブＩＰ戦略」に取り組むのに最適なタイミングです。

２　今、話題になっているＩＰランドスケープとは？

知的財産に少しでも興味がある方であれば、日本経済新聞の記事や雑誌、書籍などで「ＩＰランドスケープ」という言葉を目にされたことがあるのではないでしょうか。

「ＩＰランドスケープ」という言葉をウィキペディアで調べると、「２０１７年4月に特許庁が公表した『知財人材スキル標準（Version 2.0）』において戦略レベルのスキルとして定義された用語である」と解説されています。また、「日本国内においては以下のようなさまざまな定義が存在し、主に『知財情報（主に特許情報）を経営戦略・事業戦略策定へ活用』と『知財を重視した経営』のふたつの意味合いのいずれかで用いられることが多い」とも解説されています。このように、ＩＰランドスケープは、知財と経営とを結び付けるための方法論として、昨今、注目を集めています。

しかしながら、世の中でＩＰランドスケープと呼ばれているものの多くは、特許などの知的財産の情報を解析して図示したマップ（パテントマップ）や、表を作成する段階にすぎないものが多く、ＩＰランドスケープに積極的な一部の企業の事例を除いては、まだまだ「経営戦略」や「事業戦略」を構築するために十分使いこなせていないケースが多いのが現状です。

ＩＰランドスケープをうまく取り入れている事例の大部分が、いわば恵まれた経営環境にある大企業のものであり、大企業であってもうまく取り組めていないところが多くあります。中小企業やスタートアップ企業などにおいては、なかなかうまくいっていません。

主な原因は、経営や事業の責任者が知的財産について詳しくないケースが多いこと、ＩＰランドスケープをはじめとする知的財産に関連する業務を行う人が経営戦略や事業戦略について詳しくないケースが多いことなどがあげられます。

こうした事情を考慮すれば、**世の中に数ある経営戦略や事業戦略のなかから知的財産と相性の良いものを選び、その戦略とＩＰランドスケープとを組み合わせることが、会社を変えるための近道となります。**

3　エグゼクティブIP戦略と相性の良いエコロジカルニッチ戦略

『下町ロケット』に学ぶ中小・スタートアップ企業の知財経営戦略

「IPランドスケープ」は、確かに経営と知的財産とをつなぐ有効な手段ですが、経営戦略や事業戦略をよく理解しているエグゼクティブが取り組まなければ、有効な結果が得られない傾向にあります。また、知的財産を活用して経営戦略や事業戦略を構築するのであれば、知的財産と相性の良いものを選ぶのが効率的です。

世の中にはたくさんの経営戦略や事業戦略が提唱されていますが、なかでも知的財産と相性が良いと思われるのは「ニッチ戦略」と呼ばれるものです。テレビドラマ化、映画化された池井戸潤《いけいどじゅん》氏の大ヒット小説『下町ロケット』に登場する弁護士のモデルになった鮫島正洋《さめじままさひろ》氏も、「ニッチトップになるために知的財産の活用を」と提唱しています。

すでに多くの特許が出願されている規模の大きな市場では、新たに特許を取るのは困難です。体力のない中小企業やスタートアップ企業が参入しても、勝てる見込みはありません。こうした理由から、鮫島氏は経営資源の乏しい中小企業などでも広くて基本的な特許が取れる、小さくてニッチなマーケットを見つけ、その分野で技術開発と特許権の確保を進めてトップを目指すのが、中小企業・ベンチャー企業にとってひとつの成功モデルであると提唱しています。

「〇〇業界のフェラーリ」を目指す、エコロジカルニッチ戦略

「ニッチ」という言葉にはどんな意味があるのでしょうか。

経営戦略において「ニッチ」は、「市場の間隙」や「隙間産業」といった意味で使われることが多いと思います。

本書で取り扱う「ニッチ戦略」は、市場規模の小さな隙間産業だけを対象にする戦略ではなく、ドラッカー氏が著書で触れている生物学的な観点での「ニッチ」（エコロジカルニッチ）を極める戦略です。

エコロジカルニッチ戦略は、市場規模の絶対的な大きさではなく、相対的な大きさを重視します。例えばイタリアの自動車メーカー・フェラーリは年間売上が４５００億円程度にすぎません。絶対的な売上高の大きさで判断すれば、４５００億円もの売上があれば小

企業とはいえません。しかし自動車業界においては、年間売上高が30兆円のトヨタ自動車と比べて数十分の一しかない、小規模な企業といえます。

フェラーリは、トヨタ自動車などのメジャーなメーカーとは異なる「高級スポーツカー」という少数のマニアを対象にした独自のニッチ市場を確保し、販売数量をあえて1万台程度に限定することで揺るぎない地位を確立しています。これがエコロジカルニッチ戦略です。

フェラーリのように、決して隙間産業と呼べない市場でもエコロジカルニッチ戦略を極めることができます。**エコロジカルニッチ戦略は、いわば「○○業界のフェラーリ」を目指すための戦略なのです。**

「巣づくり」で実現する、エコロジカルニッチ戦略

生物学用語の「ニッチ」は、ある生物が生存競争などを経て適応した特有の生息場所（適所）のことを指します。エコロジカルニッチ戦略も自社にとっての適所を見つけて独自化を図るための戦略といえます。

ドラッカー氏のニッチ戦略をベースにした「藤屋式ニッチ戦略塾」を主宰する経営コンサルタントの藤屋伸二《ふじやしんじ》氏は、「ニッチ戦略」について、**ニッチ（Niche）の語源がラテン語のnidusで「巣」を意味するものであることから、事業で巣のようなもの（市場）を作る戦略である**と解説しています。

巣のように対象市場を絞り込むことにより、独自化した領域で事業を展開できるようになります。また、絞り込んだ市場で事業を行えば、ターゲットとなる顧客像が明確になり、狙い撃ちすることができます。その結果、自社の提供する商品やサービスを、自社が望む価格で買ってくれる顧客を相手とした、収益率の高いビジネスを行えるようになります。

ＩＰランドスケープをはじめとする手法は、未開拓の領域や競合他社の動向、業界の潮流などを「知的財産」といった、これまで着目されていなかった独自の切り口で探ることができます。そのため、知的財産情報の活用は、自社が独自化する巣探しをするうえで大変有効です。知的財産を戦略的に活用すれば、探し出した巣を競合先から守ったり、顧客にとっての巣の魅力を向上したりするなど、エコロジカルニッチ（巣）を核とする戦略を構築することができます。さらに知的財産を活用することにより、他社との連携システム（エコシステム）の構築、自社の強みの明確化などの効果も期待できます。

知的財産情報を活用して巣となる市場を見つければ、技術開発に取り組みやすく、巣となるニッチ市場を守るための基本的な特許権の確保も対策も取りやすくなります。

4 知財の目でトップになれるホームグラウンドを探す

エコロジカルニッチ戦略は、自社が独自化できる巣で事業を展開する戦略です。スポーツが好きな人であれば、「巣」の代わりにホームグラウンドと考えればわかりやすいでしょう。ホームグラウンドというとプロ野球やサッカーなどのスポーツで、自チームが専用で使うグラウンドのこと。阪神タイガースの聖地である甲子園球場や、読売巨人軍にとっての東京ドーム、福岡ソフトバンクホークスにとっての福岡ドームなど、それぞれのチームが専用のホームグラウンドをもっています。

ホームグラウンドには、自チームを応援するファンがたくさん駆けつけ、大変好意的に応援してくれます。なかには厳しい叱責をするファンもいますが、それも応援しているチームを愛しているからこそ。そのようなファンに囲まれたホームグランドでは、選手はよそのチームのホームグラウンドに遠征に行って試合をするときとは比べものにならないぐらい快適で、楽しく、自分のもてる力を存分に発揮できます。

エコロジカルニッチ戦略で独自化できる巣を見つけ、その範囲でビジネスを行えば、ホームグラウンドでプレイをするプロスポーツ選手と同じく、快適で、楽しく、自分の強みを存分に活かして仕事ができるようになります。

では、このような巣（ホームグラウンド）を市場のなかから見つけ出すには、どうすればいいのでしょうか。市場を細かく分類することを「セグメンテーション」といいますが、マーケティングの専門書などを参照すると、「住む場所、出身地、年齢、性別、趣味などの属性を切り口として分類する」と書かれています。つまり、どんな市場でも細分化していけば、どこかに誰も手を出していないニッチ市場が見つかるはずです。

しかしながら、誰もが考える切り口で市場を細分化しても、自社が独自化できるような「エコロジカルニッチ」はなかなか見つけられません。言い換えれば、同じ市場を分析するにしても、切り口を変えれば見たこともない断面が現れ、そこにエコロジカルニッチとなる独自の巣（ホームグラウンド）が見つかる可能性が高まります。

そのひとつとして、知的財産という観点での切り口が有効に働くことがあります。特にものづくりをしている技術系企業は、特許などの知的財産との親和性が高いと考えられます。しかも、特許や実用新案、意匠、商標といった特許庁が取り扱う知的財産については、優秀な国家公務員が整理してくれた情報（データベースなど）があります。

このような有益な情報を、独自の巣（ホームグラウンド）を探すために活用しない手はありません。他社があまりセグメンテーションに使っていない知的財産という道具を使えば、他社とは違う眼鏡で、自社にとっての甲子園、東京ドーム、福岡ドーム…を探し出すことができるはずです。もし知的財産という切り口が使えないとわかったら、そのときは他の方法を探ればいいのです。

まずは、ちょっと使ってみるぐらいの感覚で、自社にとってのホームグラウンド探しをしてみましょう。

5　知財制度を活用してホームグラウンドの外壁を作る

知的財産はエコロジカルニッチ市場というホームグラウンド（巣）を探すのに活用でき

ますが、ホームグラウンド（巣）に他社がズカズカ入ってくるのを抑制するための外壁（参入障壁）を作るのにも役立ちます。みなさんが特許権や商標権などに抱くイメージに近いものではないでしょうか。

さて、ここでひとつ質問です。アイデアやネーミング（ブランド名）などの知的財産は、特許「権」や商標「権」と呼ばれるような、「権利」の形にならないと意味をなさないと思われますか？

一般的に、知的財産で事業を守るというと、特許庁への申請手続（出願手続）を行ったうえ、特許権や商標権などの権利を取得し、他社が自社製品やネーミングなどを模倣したときに権利を行使する、というイメージかと思います。もちろん、このような知的財産の使い方は、いわば権利という石垣でしっかりと城を守るようなものであり、王道の使い方です。

しかしながら、私の知識や経験からいうと、権利が取れていない状態のものはもちろん、権利が取れる可能性が低そうなものであっても、戦略的に特許庁への申請手続を行うなどして活用すれば、自社のホームグラウンド（巣）に他社が立ち入るのを抑制するための外壁（参入障壁）を作ることができます。

仮に特許を申請しているアイデアが権利を取れる見込みが低いものであっても、最終的に拒絶が確定するまでの間は、ライバル企業はその申請内容と同じことをするという決断は簡単には下せません。同じようなものを作ろうとする場合は、特許申請の内容を研究して、申請書類に書いてある内容から外れたものになるようにするなどの労力を要します。もし、申請内容から外れるように改変したものを作れたとしても、コストアップになったり、使い勝手が悪くなったりすると、他社との競争において大きなハンデを負うことになります。

特許申請を行うと、通常はおおよそ4年半から5年の期間にわたって、拒絶の確定を遅らせることができます。そのため、仮に権利が取れる可能性が低い内容であっても、特許申請されてしまうと、長期間にわたって、けん制効果を受けることになります。

権利が取れる見込みが低くても、特許申請を行うことにより、自社のホームグラウンド（巣）を守るための外壁を作ることができるのです。

これは、ほんの一例にすぎません。外壁を作るためのツールとして知的財産を考えれば、市場における競合他社などの環境によって、柔軟にいろいろな方法が考えられます。

権利を取得することに主眼を置かない知的財産の使い方について判断できるのは、経営者、経営幹部などのエグゼクティブに限られます。エグゼクティブの頭の中が「権利をしっかり取得して事業を守る」ことしかなければ、部下である知的財産の担当者には、前述のような柔軟な対応をとる判断はできません。また、そのような判断を部下に求めるのは酷な話です。

「戦略」は、「戦い」を省「略」するためにあるものです。「攻撃は最大の防御」という言葉もありますから、特許権などの知的財産権を取得して武装して戦うのも一手かもしれません。しかし、知的財産を活用することで「戦わない」で済むことができれば、自社のホームグラウンドに集まってくれるファンや熱烈なサポーターのような顧客のためにパワーを注ぎ、快適で、楽しく、自分の強みを存分に活かしたビジネスができるのではないでしょうか。

エグゼクティブＩＰ戦略は、このような「戦わない経営」を行うための戦略なのです。

6　ホームグラウンドに来てくれる理想のファン像を描く

理想のファン像をペルソナとして設定することの意義

マーケティングを成功に導くために重要なのが、「ペルソナ」の設定です。

ペルソナとは、自社が提供する商品やサービスについて、最大限に評価してくれる典型的な顧客像のことです。

こんな人に自社の商品やサービスを使ってほしい、と思う顧客像を想定し、あたかも実際にそのような顧客が存在するかのようにリアリティのある詳細な情報を設定してペルソナをつくりあげます。

自社がナンバーワンになれる「エコロジカルニッチ市場」をホームグラウンドとして決めたら、そのグラウンドに来てくれる熱烈なファン像を想定し、それをペルソナとして設定しましょう。エコロジカルニッチ戦略において対象となる顧客は、万人受けする商品やサービスでは満足しない、こだわりの強い人物です。そのため、人物像を明確にしてペルソナとして設定することが必須となります。

理想のファン像であるペルソナが明確になれば、やるべきことと、やらなくてよいことが明確になります。ペルソナのためにやるべきことをすべて行うことで、満足度が高まるとともに、ペルソナ満足につながらない業務をやめることができるため、生産性の向上が図れます。また、どこよりもペルソナが喜ぶ商品やサービスが提供できるため、顧客の定着率が高く、こちらが希望する価格を支払ってもらえる優良顧客が集まるようになります。

経営者のなかには、「顧客を絞り込むのは怖い」と考える人も多いですが、ただひとりの顧客も満足させることができないレベルの商品やサービスで、たくさんの人を満足させることができるとは考えられません。ひとりの理想の顧客像をペルソナとして設定すれば、ペルソナにぴったりな顧客はもちろんのこと、ペルソナに似た顧客にも十分な満足を提供することができます。

まずは理想のファン像を設定し、何に価値を感じ、どうすれば喜んでもらえるのかを明確にしましょう。

理想のファン像をペルソナとして設定する

ペルソナが設定できれば、集客するための答えはわかったようなものです。理想のファンが満足する商品やサービスを作り、その商品やサービスの存在を知らせるメッセージをファンに届け、ファンに喜ばれる方法で提供すればよいのです。ここまでできれば、理想のファン像として描いた顧客が、自然に集まってくれる状態になるのです。

では、ホームグラウンドと決めたエコロジカルニッチ市場に来てくれる理想のファンは、どんな人でしょうか。ファンというからには、自社の提供する商品やサービスの価値を認め、一番応援してくれる人です。そのファンは、何に価値を感じて応援してくれるのでしょうか。

理想のファン像であるペルソナを設定するときは、年齢や性別、職業、役職、年収、居住地、趣味、価値観、家族構成、生い立ち、休日の過ごし方など、さまざまな属性を切り口として考えてみると、リアリティが生まれてきます。

しかし、年齢や性別などの属性を設定するだけでは、エコロジカルニッチ市場に集まってくれる熱烈なファンを満足させるための商品やサービスを作り込むことはできません。ホームグラウンドに決めたエコロジカルニッチ市場に来てくれるファンは、共通した課題や欲求を抱えています。**理想のファン像を考えるときは、そのファンが抱えている課題や欲求にまで思いを巡らせる必要があります。**

ペルソナを設定するときに考える年齢や性別などの属性だけではなく、その課題や欲求がどんなシチュエーションで起こるのかについて、次のように5W1Hからなる6つの切り口で考えてみましょう。

①WHEN

理想のファンは、どんな時期やタイミングで課題や欲求を感じるのでしょうか。

例えば、食品製造用の産業機械を製造しているメーカーの場合、顧客となる食品製造業を営む企業にはどんなタイミングで課題や欲求が発生するのでしょうか。新たに製造ラインを構築するときでしょうか。それとも、製造ラインを立ち上げてから相当の期間が経過した段階でしょうか。

どんな時期やタイミングで課題や欲求を感じるのかが明確になれば、どういうタイミングで、どんな商品やサービスを提供すればよいのかという答えが自ずとわかります。

②WHERE

理想のファンが抱えている課題や欲求は、どこで起こるのでしょうか。

同じように食品製造用の産業機械を製造しているメーカーで考えると、顧客となる食品製造業を営む企業のどこで課題や欲求が発生するのでしょうか。このケースの場合、食品製造の現場でロスが多いという課題や、食品製造用の原料を保管する場所に困るという課題、でき上がった食品を保管する場所において保管が難しいなど、いろいろな場所が考えられます。このように、場所という切り口ひとつをとっても、理想のファン像が抱える課題や欲求を具体的に考えることができます。

③WHAT

理想のファンは、これまで課題を解決したり欲求を満たしたりするために、何をしてきたのでしょうか。

今まで何もしていない人や企業を理想のファンとして設定するのか、あるいはいろいろな対策を講じてきたものの解決できていない課題や欲求がある人や企業を理想のファンとして設定するのかで、提供すべき価値や商品、サービスが異なってきます。また、これまでにいろいろな手を打ってきた人や企業が理想のファンになるのなら、どんな手を打ってきたのかに思いを巡らせることで、理想のファン像を描く手助けになります。

例えば、前述の食品製造用の産業機械を製造しているメーカーで考えると、食品の製造コストを抑えるために、いろいろな機械を導入してきたものの、機械の導入コストに見合うほどのコストダウンができていないという状況を想定すれば、理想のファン像が抱えている課題や欲求が明確になります。

④WHO

理想のファンは、誰に対する課題や願望を抱いているのでしょうか。

前述のメーカーで考えると、食品の製造現場で働くパート社員や、正社員、現場を統括する管理職など、さまざまな人が登場します。誰に対する課題なのかが具体的に想像できれば、例えば機械に習熟していないパート社員でも、安全かつ簡単に使える製造装置がほしいとか、管理職が現場での製造数やトラブルの発生をいち早く把握して対応できる製造装置がほしいなどといった課題や願望を鮮明にすることができます。

⑤WHY

理想のファンは、なぜその課題が解決できていないのでしょうか。

もし理想のファンが、課題を解決するために行動を起こしたことがない人や企業であれば、なぜこれまで何も行動を起こしたことがないのでしょうか。面倒だからでしょうか。それとも、課題があることを当然のことと受け入れており、これまで解決策を探すことすらしなかったのでしょうか。

また、理想のファンが課題を解決するためにさまざまな行動を起こした経験を有する人や企業であれば、なぜこれまで課題を解決できなかったのでしょうか。それまでに経験した課題の解決策が、本当に使い物にならないものだったのでしょうか。それとも、良い解決策があっても、継続できなかったのでしょうか。

前述のメーカーで考えると、これまでに導入した産業機械で課題は解決できたとしても、使い勝手が悪いため、使われることなく放置されているといった理由があるかもしれません。

このように、これまでなぜ課題が解決できていないのかという切り口で考えることも、理想のファンが抱える課題や願望を鮮明にするための糸口になります。

⑥ＨＯＷ

理想のファンは、どのようにして課題を解決したいと考えているのでしょうか。

前述のメーカーで考えると、新しい産業機械を導入して課題を解決したいと考える人もいれば、既存の機械や設備を活用して課題を解決したいと考える人もいます。もし、新しい産業機械を導入したいと考える人を理想の顧客にするのであれば、フルラインナップの製品やサービスを提供するのがよいことがわかります。これに対し、既存の機械や設備を活用して課題を解決したいと考える人を理想の顧客にするのであれば、既存の機械などに対して増設することで使い勝手が良くなるものを提供するのがよいことがわかります。

このように、どのようにしたいと考えているのかという観点で検討することも、理想のファンが抱える課題や願望を鮮明にするための糸口になります。

理想のファンが抱える課題や欲求が明確になれば、後はそのファン像が価値を感じるような商品やサービスをつくり、そのファン像に向けて商品やサービスをアピールしましょう。そうすれば、ホームグラウンドとして決めたエコロジカルニッチ市場に自社が理想とするファン像のような顧客が集まり、熱烈に応援してくれる環境が構築できます。

7　ホームグラウンドに旗を立て、商標で守る

プロ野球やサッカー場のグラウンドには、そこをホームグラウンドとするチームの旗が立っています。

同じように、ホームグラウンドとなるエコロジカルニッチ市場や、理想のファン像が決まったら、そのファン像にマッチする顧客が迷わず自社のホームグラウンドに来られるように、道しるべとなる旗を立てましょう。

ビジネスの場面において旗の代わりになるのが、ネーミングやロゴマークなどの商標です。目印となる商標があれば、顧客はその商標を頼りに、求める商品やサービスを即座に選べるようになります。ネーミングやロゴマークなどの商標が定まったら、しっかりと商標権で守りましょう。

良い商品やサービスを提供していたとしても、ネーミングやロゴマークなどの商標がなければ、顧客は何を目印に商品やサービスを選べばよいのかわからなくなります。また、

商標権でしっかり守っておかなければ、自社が提供している商品やサービスの名前やロゴマークとまったく同一、あるいは似たものを使って、他社に粗悪品を売られてしまう可能性があります。そうなると、いくら自社の商品やサービスが良くても、顧客側から見れば区別がつかず、自社商品やサービスの評判も落ちてしまいます。

自社のネーミングやロゴマークなどについて商標権を取得しておかなければ、他社に模倣されるだけにとどまらず、他社に商標権を取られてしまう可能性すらあります。他社に商標権が取られてしまうと、自社が本家本元であったとしても、自社のネーミングやロゴマークが使えなくなってしまいます。

近年、商標権をとっていない有名店などを狙って、商標権を取得するブローカーが暗躍しています。このようなブローカーから自社のビジネスはもちろんのこと、自社のファンである顧客の利益を守るためにも、商標登録は必須と考えておきましょう。

ひとつ事例を紹介します。２０１９年1月、テレビや新聞、インターネットなどでティラミス店「ティラミスヒーロー」の事件が話題になりました。

シンガポールの有名店「ティラミスヒーロー」の店舗名や商品名と似ており、ティラミスヒーローと同じくティラミスを販売する「HERO'S」という店が登場したことに端を発した事件です。

シンガポールの「ティラミスヒーロー」は、２０１３年頃から日本のデパートなどでも販売が開始され、スイーツファンの間で人気を博している店でした。

しかし、この「ティラミスヒーロー」は、日本で商標登録していなかったのです。

有名店であるにもかかわらず、商標権を取得していないところに目を付けられ、２０１８年３月には「ティラミスヒーロー」というネーミング、同年８月には本家である「ティラミスヒーロー」が以前から使用していたロゴマークが出願され、登録されてしまいました。

その結果、本家の「ティラミスヒーロー」は、日本に出店しているティラミス専門店の店名を「ティラミススター」に変え、ロゴマークも変えざるを得なくなりました。

この後、本家のティラミススターが日本の特許庁に商標権の取り消しを求める手続を行い、これが認められました。しかし本家のティラミススターが商標権を取得していなかったばかりに払った代償はあまりにも大きかったと言わざるを得ません。

この事件を教訓にして、商標権は、ビジネスを行ううえで必須のパスポートと考えるべきです。**自社のホームグラウンドであるエコロジカルニッチ市場を定め、旗印となるネーミングやロゴマークが決まれば、一刻も早く商標出願して商標権で死守してください。**

8 ファン向けの情報発信や販売促進に知的財産を活用する

エコロジカルニッチ市場において理想のファン向けに情報発信をする際は、知的財産を活用しない手はありません。

エコロジカルニッチ市場における理想のファンは、ファン向けに提供される商品やサービスがどこにでもあるようなものではなく、特別なものであることに魅力を感じています。そんなファンに対し、特許や商標などの知的財産の存在を伝え、商品やサービスが唯一無二の価値ある存在であることをアピールするのは、非常に有効な情報発信なのです。

知的財産を活用して、ファン向けの情報発信に成功した事例を紹介します。

大阪市に本社を置くW社は、電機系を得意とする機械メーカー。W社は、親子で経営する社員10名程度の中小企業ですが、取引先に一部上場系の大手メーカーが名を連ねています。大手メーカーを相手にする下請け型の中小企業は数多くありますが、このW社は、取引先の大手メーカーに、「W社の存在なくしては業務が成り立たない」と言わしめる、大手メーカーと対等に渡り合える地位を確立しています。W社は知的財産への取り組みを行う前から安定した売上を達成していました。

W社が知的財産権についての取り組みを始めたのが、数年前。

W社が納入していた製品が特許出願などをしていないことに気づいた大手企業が、グループ会社でW社の製品のコピー品をつくり始めたのでした。このときは、図面には現れないノウハウの存在があったおかげで、見た目は同じようにつくられたものの、うまく作動せず、W社は事なきを得たそうです。

しかし、W社は取引先に内製化に向けた動きがあることに警戒感を覚え、模倣されると大打撃を受けそうなものから優先的に、特許出願に対して積極的に取り組むようになりました。また、W社は、特許出願したことを積極的にホームページやチラシ、パンフレットなどに掲載するとともに、図面などの各種資料にも特許出願済みであることを記載するようにしました。

このような情報発信が実を結び、W社の取引先である大手企業からの信用度が向上し、売上も向上しました。これを受けて、W社の社長がその大手企業の担当者に話を聞くと、その装置をつくれる他の企業がないからW社から買っていたものの、知的財産権の侵害リスクがあるので社内での承認が得にくく、購入しにくかったという声が聞こえてきたそうです。

また、W社が知的財産権に対して前向きな対応をし、積極的にアピールするようになったことで、大手企業の担当者は、W社の製品を導入するときに、社内での承認も得やすくなり、安心して導入できるようになったと言っていたそうです。

このように、特許などの知的財産は、権利を取得することだけを目的とするのではなく、情報発信や販売促進のためのツールとしても強力な威力を発揮します。とある企業で知的財産部に所属している担当者から、「デキる営業マンほど、自社がどんな知的財産をもっているのか、知的財産部から詳細に聞き出し、その情報を活用して知的財産の存在を営業先にアピールして成果につなげてくる」という話を聞いたことがあります。そのため、知的財産についての取り組みをしているのに、情報発信や販売促進に活用できていないのであれば、ホームページやチラシ、パンフレットなどに知的財産をアピールする情報を掲載するなどして、積極的に知的財産を活用することが大切です。

第2章

ここがポイント！

- 企業の経営者や経営幹部という肩書きがあるだけでは、エグゼクティブとはいえない。たとえ肩書きがなくても、「行動をして物事をなす者」こそが、真のエグゼクティブ。

- 「エグゼクティブIP戦略」は、経営判断により行動を起こし、物事をなすことができるエグゼクティブが、会社を変えるための原動力として知的財産を活用するための戦略。

- 「エグゼクティブIP戦略」は、知的財産戦略と経営戦略とが両輪をなす、知的財産活用型経営戦略。

- 「エグゼクティブIP戦略」においては、知的財産に関する情報の活用が有力な手段となる。昨今注目を集めている「IPランドスケープ」は、知的財産情報の活用において、有効な手段のひとつである。

- 「○○業界のフェラーリ」を目指すエコロジカルニッチ戦略は、「エグゼクティブIP戦略」を構築するために最適な経営戦略。

- エコロジカルニッチ戦略は、自社商品・サービスのファンをペルソナとして絞り込み、ファンが集うホームグラウンドをつくって守ることで実現できる。

- 「エグゼクティブIP戦略」では、エコロジカルニッチ戦略を実現するためのファンの絞り込み、ホームグラウンドづくりなどに、知的財産を戦略的に活用することが不可欠。

第3章

マーケティングツールとしての知的財産の使い方

1　売り込みのストレスを解消するマーケティングとは

マーケティングとは、売り込まなくても売れる状態を実現するための活動です。うまく機能すれば、売る側は売るストレス、売られる側は売り込まれるストレスから解消されます。

マーケティングというと、市場調査を頭に浮かべる方が多いと思います。

しかし、経営学の大家であるドラッカー氏は、著書『マネジメント』のなかで、「マーケティングの究極の理想は、販売を不要にすることである。マーケティングが目指すものは、顧客を理解し、製品とサービスを顧客に合わせ、おのずから売れるようにすることである」と述べています。

マーケティングは、顧客視点で売れる仕組みをつくり、顧客に提供する価値を向上していく取り組みなのです。つまり、自社の視点で価値のあるものを顧客に売り込む「販売」とは逆の取り組みなのです。

実際、販売を完全になくすのは至難の業です。

しかし、マーケティングをしっかりと行えば、自社商品やサービスに価値を感じてくれる理想の顧客を相手にしたビジネスが展開できるのです。結果、販売にかかる労力やコストを大幅に抑制することが可能です。

中小企業の事例を紹介します。

滋賀県で農産物加工業を営むS社は、創業約40年の中小企業。同社は、父の後を継いで二代目の代表取締役にOさんが就任したのを機に、新商品の開発に乗り出したのです。

滋賀県は、関西地方では有数の米の産地であることから、小麦粉アレルギーの方でも安心して食べられる「米粉」に目を付けました。

Oさんは、大手電機メーカーを退職した元技術者。勤務時代の経験から、まずは特許情報の分析を行いました。理由は、すでに大手企業や同業他社がさまざまな特許を取得している可能性があることを懸念したからです。

S社は、既存の顧客から直接ヒアリングを行ったり、インターネット情報を活用するだけでなく、特許情報をマーケティングに活用したのです。

米粉を使って作った米粉麺に関連する特許がどの程度あるかを調べました。キーワードによる検索や、特許分類を活用した検索などを行うと、せいぜい１００件程度の出願しかなく、競合他社の少ない分野であることがわかったのです。

また、検索結果にどのような企業が登場するかを確認すると、製粉メーカーが多く、そのなかでも日清フーズ株式会社の出願件数が多いことがわかりました。そのため、米粉麺の開発を行っていくうえで、特に日清フーズ株式会社については注意しておく必要があることがわかりました。

米粉麺についての特許出願の公報を読むことで、小麦を主原料とした場合と比較して、米粉麺はコシがなく、ちぎれやすいことや、表面がベタついてしまうという問題があることが判明。さらに、冷凍にすると、これらの問題が顕著に表れてしまうこともわかったのです。

S社はインターネットを活用した国内販売を検討していました。米粉麺を冷凍したときの問題点や、問題解決のアプローチの仕方について言及された特許公報も研究。特許を侵害しない形で新たなアプローチを考えたのです。このことにより、他社の研究結果を活用して、独自製法の開発に着手することができました。

つまり、S社は、知的財産情報を同業他社の動向や特許の取得状況をおさえるためだけでなく、通信販売に適した米粉麺を作るためのマーケティング活動にも活用したのです。

このようなマーケティング活動を経て、誕生したS社の米粉麺は、試験販売でも大好評。グルテンフリー食品として、東南アジア各国や、アメリカやヨーロッパなどでも注目を集め、国内だけでなく外国のバイヤーからの問い合わせもくることになりました。

S社のように、特許など知的財産に関する情報を顧客視点で分析すれば、独自の視点で顧客の理解を深めることができます。**売り込まなくても、売れる商品やサービスを作るために、知的財産情報をマーケティング活動に活用できることを忘れないでください。**

2　強みとは

強みというのは、自社の独自資産であって、顧客が価値を感じるとともに、他にはないもののことです。

また、強みとは、理想とする顧客に自社が選ばれる理由となるものです。それは、**自社基準ではなく、顧客基準で決まります。**いくらすばらしい技術や能力をもっていたとしても、顧客が価値を感じるものでなければ、それは強みにはなり得ません。

自社の強みを明確にしてアピール・保護する

顧客が価値を感じるものであることが、強みの大前提です。そのため、強みを明確にするためには、まず対象となる顧客を定める必要があります。

そのうえで、その顧客が存在している市場における競合はどこなのか、その市場において顧客に価値を感じてもらえる独自化・差別化されたもの（独自資産）は何なのかを分析します。

独自資産が明確になれば、それを顧客に対してアピールしたり、競合からしっかりと保護したりする必要があります。強みを明確にする段階においても、知的財産情報が活用できます。以下、自社の強みを明確にする方法について、順を追って説明していきます。

理想とする顧客を明確化する

理想とする顧客は、ペルソナを設定することから始めます。

ペルソナとは、自社が理想とする顧客像を言語化したものです。

ペルソナを設定することにより、理想とする顧客のことを詳しく理解し、顧客目線で状況や心理を理解できるようになります。そして、ペルソナを設定することにより、商品やサービスの提供側のメンバー間で理想とする顧客のイメージを共通化し、メンバー間において認識のズレを抑制することができます。

ペルソナを設定する際、年齢や性別、居住地、収入、趣味、家族構成などの基本的な情報の他、どのような雑誌や新聞、テレビ番組、ホームページなどで情報に触れているのか、また、どのような悩みをもっているのか、何を理想にしているのか、価値観、これまでにどのような商品やサービスを購買してきたかなどの情報を整理し、言語化します（**図3-1**）。

一般のユーザーを相手にするＢｔｏＣのビジネスだけでなく、法人を相手にするＢｔｏＢ

図３－１　ペルソナを設定するための要素

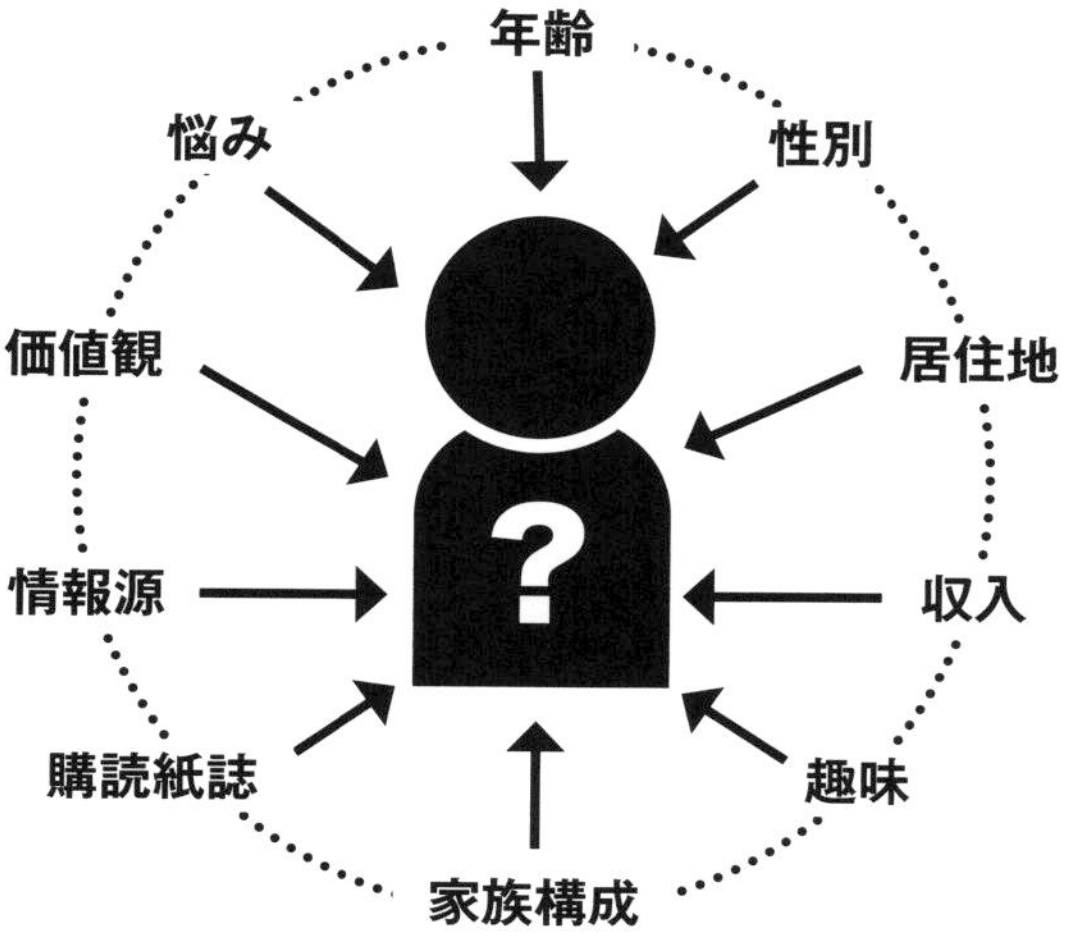

のビジネスであっても、自社の商品やサービスを購入してくれるのは人です。そのため、ＢｔｏＢのビジネスの場合には、商品やサービスの購入を決定する決定権者などをペルソナとして設定するとよいでしょう。

ペルソナを設定するときには、具体的にどのような人なのかが明確に頭に浮かぶぐらいまで詳細に設定しましょう。具体的な人が頭に浮かぶようにするために、ペルソナにも名前を付けてください。そのようにすることで、メンバー間で情報共有するときにも、「〇〇さん」という共通言語が生まれ、「〇〇さんなら喜んでくれるかな？」という理想とする顧客目線での判断がしやすくなります。

知的財産の側面でもどのような人が顧客になるのかを考えてください。例えば、知的財産権について詳しいのか、知的財産権を取得した経験の有無、知的財産に価値を感じるかなど、さまざまな観点で検討してみてください。知的財産で会社を変えるためには、自社の知的財産に対する取り組みと同様に、理想となる顧客の知的財産に対する考え方を理解することが重要です。

理想とする顧客像の設定は、仮説検証を繰り返して、ブラッシュアップしていくものです。そのため、顧客像を固定せずに、強みの設定における過程や、ビジネスを進めていく段階など、さまざまなタイミングで見直しをしましょう。

競合を分析する

ニーズの集まりは、市場を構成します。理想とする顧客像（ペルソナ）が定まれば、その顧客像のニーズ（理想や願望）から、自社が商品やサービスを提供する市場を定義することができます。

市場の定義ができたら、その市場における直接競合と、間接競合について分析しましょう。そのためには、自社の事業について定義を行う必要があります。

直接競合や間接競合の設定は、自社が何の事業を行っている企業であるかによって変わるからです。

ドラッカー氏は、著書『創造する経営者』のなかで、「事業の定義が市場に供給すべき満足やリーダーシップを保持すべき領域を規定する」と述べています。事業の定義は、「誰に・何を・どのように」提供するかを決めることにより、行うことができます。例えば、ドラッカー氏は事業の定義の例として、「顧客の事務管理部門に対し、近代的オフィスに必要な機器や消耗品を供給する」という事例をあげています。

第一段階として、設定した理想の顧客像に基づいて、自社の事業が「誰に・何を・どのように」提供する事業なのかを定義しましょう。自社の事業が定義できたら、直接競合と間接競合について考えましょう。直接競合、間接競合の設定が難しいようでしたら、**直接競合を同業種の他社、間接競合を顧客のニーズを満足できる異業種と考えてみるとわかり**

やすいでしょう。

例えば、30代の主婦向けに髪のカラーリングを提供している美容院の場合、他に同様の業務を行っている美容院が直接競合、カラーリング剤を販売しているドラッグストアや通信販売などが間接競合になります。

直接競合や間接競合がどこになるのかがわかれば、新聞、雑誌、書籍、インターネット、顧客の声などから競合に関する情報を集めたり、実際に競合の商品・サービスを購入してみたりして、競合の分析を行います。

つまり、競合が対象にしている顧客層や商品・サービスのラインナップ、価格など、さまざまな角度から情報を集めて分析するのです。

また、**競合分析の際には、競合他社の知的財産についての分析も行いましょう。**

特許庁に出願されている知的財産に関する情報は、工業所有権情報・研修館が提供しているJ-Plat Pat特許情報プラットフォーム（https://www.j-platpat.inpit.go.jp/）を活用すると、無料で入手できます。

J-Plat Patで特許や実用新案の情報を検索することで、競合他社の技術的なアイデアやビジネスモデルについての知的財産情報が確認できます。

また、意匠に関する情報検索を行うと、競合他社がどのようなデザインを考えているのかという情報が確認できます。一般的に、意匠出願は、製品作りの最終段階で行います。そのため、意匠出願の情報分析により、近々、商品として世に出てくる可能性が高い商品の情報をつかむことが可能です。

そして、商標に関する情報検索を行うことにより、競合他社が所有しているネーミングやロゴに関する商標権に関する情報を入手できます。

商標権は、ネーミングやロゴをどのような商品やサービス（役務）に使うのかを組み合わせて取得します。

商標権の調査を行うことにより、競合他社がどのような商品展開をしているのか、競合他社のビジネス領域の広さを分析することができます。商標出願も、意匠出願と同様に商品やサービスを世にリリースする前に出願されることが多い傾向にあります。

意匠出願に比べて、商標出願のほうが利用されるケースが多い傾向にあります。そのため、競合他社の商標出願を分析することにより、どのような商品やサービスをリリースする予定なのかを予測することができます。

自社の独自資産の分析・保護

強みと呼べる独自資産は、独自化や差別化されている必要があります。

独自化された状態とは、市場規模の大小によらず、独占的な立ち位置を確保した状態のことです。独自化された状態になると、顧客や他社からは「何それ？」と言われるようになります。

差別化された状態とは、他の商品やサービスと比べて、質や程度が高いことになります。差別化された状態になると、顧客や他社からは「そこまでやるか！」と言われるまでになります。

自社が顧客に提供しようとしているものを、競合分析の結果に照らし合わせ、独自化、あるいは差別化された「独自資産」と呼べるものなのかを検証します。そして、理想とする顧客に価値を感じてもらえる独自資産であるのであれば、知的財産を権利化して、独自資産を保護しましょう。

独自資産を構成するアイデアは、特許権や実用新案権で保護します。

独自資産と呼べるものであれば、理想とする顧客に対して、価値を感じてもらえるはずです。

特許や実用新案で権利を取得する場合には、自社目線で技術的にすばらしい部分だけでなく、顧客に対する価値を生み出すために必要な部分がどこなのかに注目して、その部分を保護できるような注意が必要です。

権利を取得することにより、他社が同様の価値を提供するうえで大きな障壁となり、自社の優位性を確保することができます。

独自資産を構成するデザインは、意匠権で保護します。意匠権を取ると、自社商品をそのままの形で模倣されるのを抑制できます。デザインは一見して類否が容易に判断できるため、意匠権を取得しておけば、税関で類似品を差し押さえてもらえる可能性が高くなります。

例えば、東南アジアなどの外国で、安価に製造された見た目がそっくりな商品が輸入される可能性がある場合などには、意匠権を取得しておくことにより、独自資産の保護を強化できます。

独自資産を構成するブランド（ネーミングやロゴマーク）は、商標権で保護します。商標権には、①自他商品など識別機能、②出所表示機能、③品質保証機能、④宣伝広告機能、および⑤グッドウィルという5つの機能があります。

①自他商品など識別機能とは、自社の商品やサービスを他社のものと識別させる機能であり、強みとして他社のものと差別化、独自化を図るうえで必須です。

理想とする顧客に、自社商品を他社商品と間違えずに購入してもらい、リピーターになってもらうためには、②出所表示機能や③品質保証機能、④宣伝広告機能などが重要となります。

⑤グッドウィルとは、自他商品など識別機能など各種の機能が発揮された結果により生まれる顧客を惹きつける力（顧客吸引力）のことであり、強みを構築するうえでは重要です。

独自資産となるものには、それにふさわしいネーミングやロゴマークを付け、商標権によって守らなければなりません。

強みを見つけ、守ろう

理想とする顧客に自社が選ばれる強みを見つけるために、理想とする顧客の設定から順番に、自社や競合他社のことを分析していきます。その際、知的財産情報を活用して分析を深め、信頼性を高めましょう。

強みとなる独自資産が見つかれば、ただちに知的財産権を取得し、競合他社に対する参入障壁の構築や、さらなる差別化、独自化に活用していきます。

3―ウェルカム 拒絶理由通知！
特許出願制度を活用した技術的な強みの見つけ方

拒絶理由通知とは

特許出願を行い、審査官による審査を受けると、結果が通知されます。審査の結果、特許権を付与しても問題ないと判断された場合には、特許査定という通知が来ます。一方、特許権を付与するうえで問題があると判断された場合には、いきなり拒絶確定の通知（拒絶査定通知）が来るのではなく、拒絶理由通知書という書面が届きます。

拒絶理由通知書には、特許出願したアイデアについて、審査官が特許権を付与できない理由が記載されています（**図3-2**）。

この通知を受けた出願人には、特許出願書類の記載内容を手直しする手続（手続補正）や、審査官に対する反論などの意見を述べる書面（意見書）を提出する機会が与えられます。

拒絶理由通知書には、特許庁の審査官が特許できないと判断した根拠になる先行技術（特許出願前からあった技術）の内容が示されます。また、先行技術と、特許出願したアイデアとが対比され、発明の新しさ（新規性）や、発明の困難さ（進歩性）についての判断結果が記載されます。

拒絶理由通知書に記載されている内容は、同じ技術分野にある競合他社の技術を分析し、自社が独自資産だと思って特許出願したアイデアと比較して**独自化、差別化されたもので**

図３－２　拒絶理由通知書

整理番号:○○○　　発送番号:○○○　発送日:令和○年○月○日　　1

拒絶理由通知書

特許出願の番号	特願○○○○－○○○○○○
起案日	令和○○年○○月○○日
特許庁審査官	○○　○○
特許出願人代理人	○○　○○　様
適用条文	第２９条第１項、第２９条第２項

この出願は、次の理由によって拒絶をすべきものです。これについて意見がありましたら、この通知書の発送の日から６０日以内に意見書を提出してください。

理由

１．（新規性）この出願の下記の請求項に係る発明は、その出願前に日本国内又は外国において、頒布された下記の刊行物に記載された発明又は電気通信回線を通じて公衆に利用可能となった発明であるから、特許法第２９条第１項第３号に該当し、特許を受けることができない。

２．（進歩性）この出願の下記の請求項に係る発明は、その出願前に日本国内又は外国において、頒布された下記の刊行物に記載された発明又は電気通信回線を通じて公衆に利用可能となった発明に基いて、その出願前にその発明の属する技術の分野における通常の知識を有する者が容易に発明をすることができたものであるから、特許法第２９条第２項の規定により特許を受けることができない。

記　　（引用文献等については引用文献等一覧参照）

●理由１（新規性）について
・請求項　１
・引用文献等　１
・備考
　引用文献１には、・・・・・・・・・・・・・

あるか否かを、第三者である特許庁の審査官が判断してくれた結果になります。まさに、第三者による「強み」判定の結果ともいえます。

拒絶理由通知への対応を真の強みを見つけ出すためのチャンスと捉える

特許庁の審査官は、技術分野ごとに特許出願の審査業務が割り振られており、日々その技術分野のさまざまアイデアについての審査をし続けているプロフェッショナルです。

審査官から届いた拒絶理由通知書に記載されている拒絶理由の内容は、第三者といえども、その技術分野について造詣の深い人からジャッジされたアイデアの独自化、差別化のレベルについての問いかけともいえます。したがって、この審査官からの問いかけである拒絶理由に対応することは、特許を取れるか否かはもちろんのこと、特許出願時に自社の強みと思っていたことを見直す機会となります。同時に、第三者の目からみても間違いのない、独りよがりではない真の強みを発見するうえで、非常に有効なチャンスと捉えるべきなのです。

拒絶理由通知をマーケティングや研修に使ってみる

拒絶理由通知への対応は、自社の技術についての真の強みを発見するために有効になります。特許出願に関する技術的アイデアを生み出した技術者や、知的財産権に関する担当者はもちろんのこと、経営に責任をもつエグゼクティブや、営業担当者など、幅広い立場の人が拒絶理由通知への対応に携わることができれば、自社のさらなる技術的な強みを発見するための貴重な機会となります。

奈良県で機械製造業を営むO社では、年間出願件数が多くないこともあり、技術者、知的財産権担当者だけでなく、取締役や営業職の方々まで、拒絶理由通知についてディスカッションを行い、研修の場として活用する取り組みを行っています。

拒絶理由通知への応答期間は通常60日ですが、所定の延長費用を支払うことにより2カ月延長することができます。O社では、拒絶理由通知が来てから3カ月までの間に、拒絶理由通知への対応を通じて、自社の強みを見直す機会を設け、残りの1カ月で手続補正書や意見書の準備をしています。

自社の強みを見直す際には、拒絶理由通知での審査官による指摘を参考に、自社技術と他社技術との違いとして審査官にアピールするポイントを探します。見つかったポイントが、顧客に価値を感じてもらえているかどうかを確認するのです。そして、そのポイントが、他社の従来技術との違いとして見いだされたときに特許が取得できるかを検討します。

また、同業他社へのけん制効果となるポイントで特許が取得できるかという観点でも検討を行います。顧客価値につながるポイントや、同業他社に対するけん制効果が得られるポイントで特許が取れそうなら、手続補正書や意見書の準備を進めます。

一方、特許が取れそうなポイントがあっても、それが顧客価値につながらない場合や、他社が嫌がらない権利である場合には、手続補正書や意見書は準備せず、特許化を断念します。特許化を断念する場合には、どのような出願をしておけばよかったのかを改めて検討し、次の出願への教訓づくりを行います。このような取り組みの結果、O社では自社の強みを理解したうえでの対応が取れるようになり、意味ある特許が取得できるようになったとのことです。

拒絶理由通知を強み発見に活用する

Ｏ社の取り組みのように、拒絶理由対応を単なる権利を取るためのやりとりと考えず、強みを見つけるための貴重な機会として捉えると、特許出願をマーケティング活動にも有効的に利用できます。もし、仮に特許が取れなくても、拒絶理由通知を通じて自社の強みを考えることで、拒絶理由通知への対応が単なる手続業務から次につながる意義ある活動に変貌させることができるのです。拒絶理由通知が来たときには、ぜひ一度「自社の技術的強みを発見する」という観点で活用を試みましょう。

4　キーワードは「ＧＯ６Ｑ」ビジネスモデル特許で探るもうけのカラクリ

ビジネスモデル特許とは

ビジネスモデル特許と呼ばれる特許出願が、２０００年頃にブームとなり、当時たくさんの出願が行われました。日本では、ビジネスモデルそのものや、販売管理、生産管理に

図３－３　ビジネス関連発明の出願件数の推移

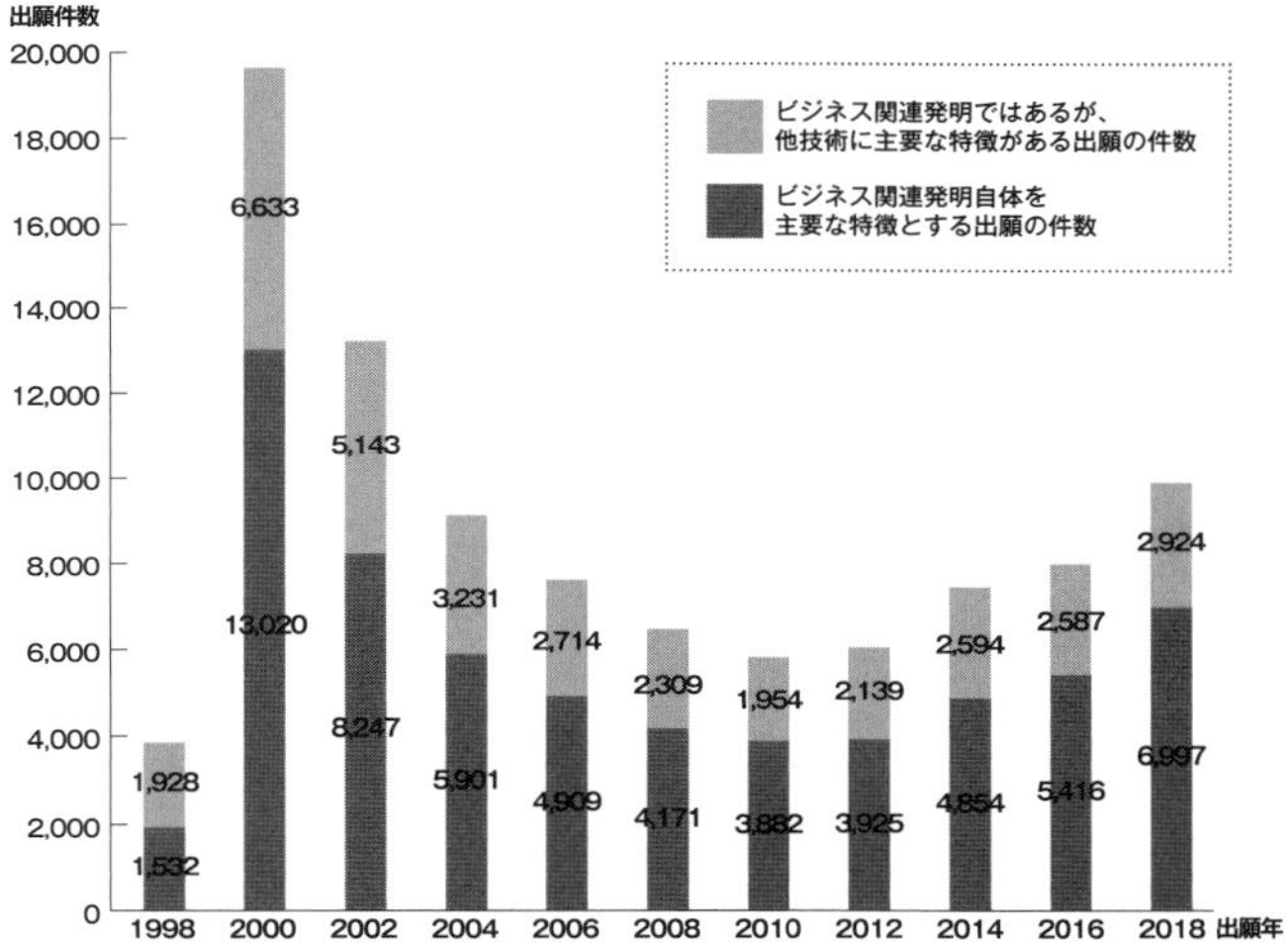

特許庁ウェブサイト「ビジネス関連発明の最近の動向について」より引用
(https://www.jpo.go.jp/system/patent/gaiyo/sesaku/biz_pat.html)

関する画期的なアイデアを思いついたとしても、そのアイデアは特許として保護されません。

日本では、ビジネスに関する方法が、ＩＣＴ（Information and Communication Technology：情報通信技術）などの自然法則を利用して実現された発明について、特許が付与されることになっています。２０００年頃に出願されたビジネスモデル特許は、その多くがビジネスモデルのアイデアであったため、実に出願されたうちの10％程度しか、特許にならないという状況でした。通常の特許出願では特許になる確率が約60％ですので、２０００年頃のビジネスモデル特許の出願は特許になる可能性が非常に低いも

図３－４　ビジネス関連発明の特許査定率の推移

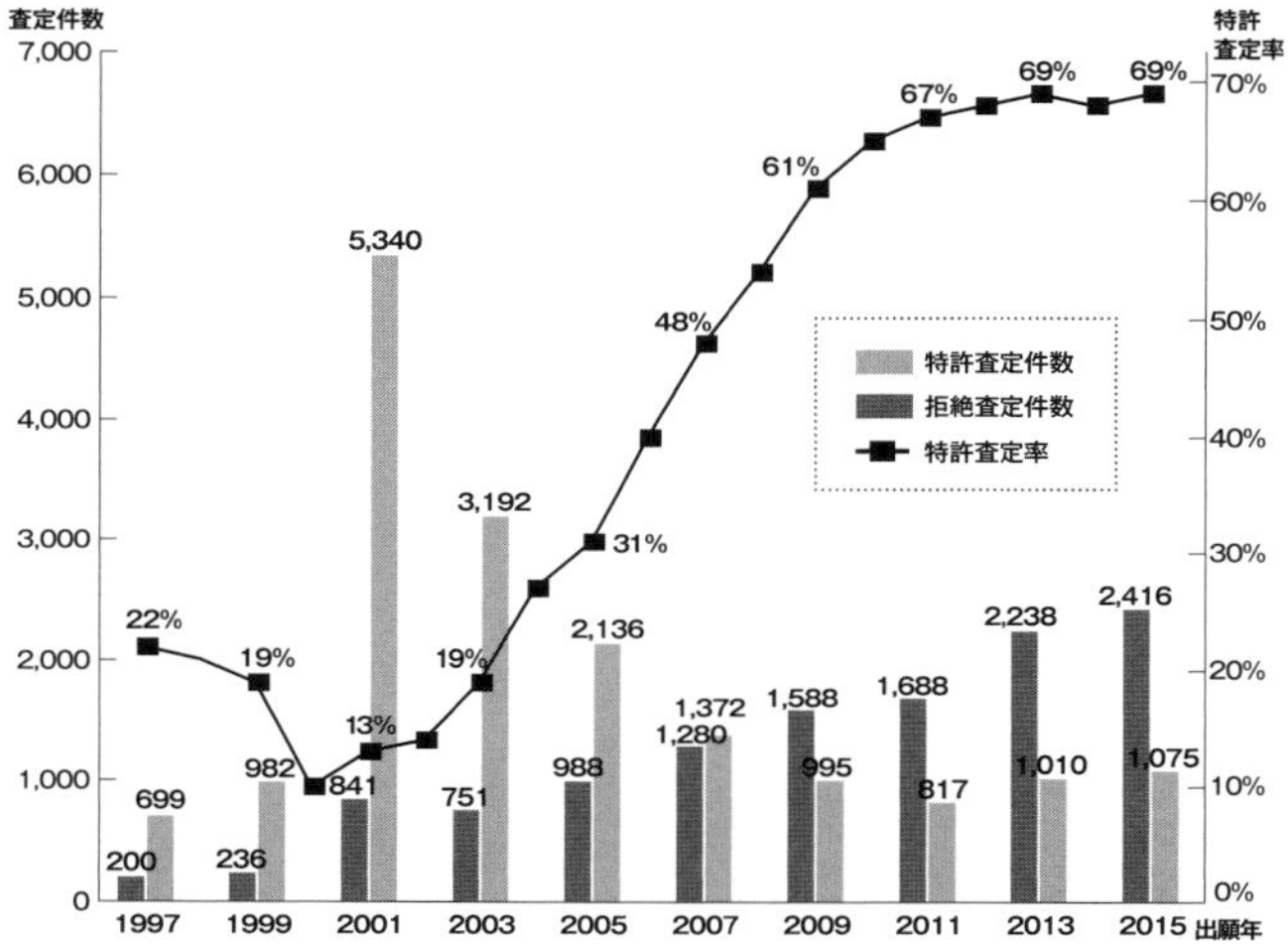

特許庁ウェブサイト「ビジネス関連発明の最近の動向について」より引用
(https://www.jpo.go.jp/system/patent/gaiyo/sesaku/biz_pat.html)

のでした。そのため、ビジネスモデル特許の出願件数は２０００年をピークに減少に転じました（**図３-３**）。

しかし、その後日本で特許になる対象がどのようなものであるのかが理解されるようになってから、出願件数が再び増加に転じました。出願件数の推移を示したグラフからわかるように、２０１２年頃からビジネスモデル特許の出願件数が増加しており、２０１８年には９９２１件の出願がありました（**図３-３**）。特許査定率についても、他の技術分野と同等の60％台で推移するようになっています（**図３-４**）。

このようにビジネスモデル特許の出願件

数が増えた背景として、特許庁では、「『モノ』から『コト』への産業構造の変化が進むなかで、ソリューションビジネスへのR&D（研究開発）が活発化していること」を理由としてあげています。これと並んで、「スマートフォンやSNSの普及に加え、AI、IoT（Internet of Things）技術の進展により、ICTを活用した新たなサービスが創出される分野（金融分野やヘルスケア分野など）が拡大していることも一因」と解説しています。

特許庁による分析（特許庁ウェブサイト「ビジネス関連発明の最近の動向について」https://www.jpo.go.jp/system/patent/gaiyo/sesaku/biz_pat.html）によると、2017年に出願されたビジネスモデル特許のうち上位を占めるのは、以下の3分野とのことです。

（1）サービス業一般（宿泊業、飲食業、不動産業、運輸業、通信業など）
（2）EC・マーケティング（電子商取引、オークション、マーケット予測、オンライン広告など）
（3）管理・経営（社内業務システム、生産管理、在庫管理、プロジェクト管理、人員配置など）

ビジネスモデル特許の公開情報を見てみましょう

特許庁のウェブサイトでも解説されているように、ビジネスモデル特許は一時下火になったものの、近年のＩＴ化などの影響を受け、出願件数が増加する傾向にあります。これらの文献には、特許庁に出願された新たなビジネスのアイデアが公開されています。そのため、新たなビジネスモデルを考えるときには、ビジネスモデルについての書籍やウェブサイトの記事を読むだけでなく、出願公開されたビジネスモデル特許の公報を読んでみると大変参考になります。

多数ある特許の出願公報からビジネスモデル特許に関するものを効率よく探し出すには、特許の公開公報に付与されている分類記号に基づいて検索するとよいです。分類記号には、ＩＰＣ（International Patent Classification）と呼ばれる国際特許分類や、ＦＩ記号と呼ばれる分類、Ｆタームと呼ばれる分類などがあります。これらは、図書館の本に付与されている分類記号と同様に、目的とする文献を効率よく検索できるように付与されているものです。

ビジネスモデル特許に関する公報には、「G06Q」というFI記号が付与されています。また、「G06Q」という分類は、産業ごとにさらに細分化されています。

そのため、公報を確認したい産業が決まっているときには、細分化されたFI記号を指定すると、さらに効率よく探すことができます（**図3-5**）。


FI記号に基づいて特許検索を行う場合、FI記号を指定するだけでは件数が膨大になってしまい、各出願の公報を参照できる表示件数を超えてしまいます。

このような場合には、検索項目にキーワードを追加したり、検索オプションの欄で検索対象となる出願日や公開日の期間を短く設定したりして検索範囲の絞り込みを行うとよいでしょう。

図３－５　産業分野とＦＩの対応

一般的な特許戦略	対応 FI
サービス業一般	下記以外の G06Q50/,90/,99/
EC・マーケティング	G06Q30/
管理・経営	G06Q10/
金融	G06Q20/,40/
第二次産業（製造業、建設業など）	G06Q50/04,50/08
エネルギー	G06Q50/06
第一次産業（農業、漁業、鉱業など）	G06Q50/02
教育	G06Q50/20
公共サービス	G06Q50/26

特許庁ウェブサイト「ビジネス関連発明の最近の動向について」より引用
（https://www.jpo.go.jp/system/patent/gaiyo/sesaku/biz_pat.html）

公報のタイトルや要約の流し読みだけでもしてみましょう

特許出願の公報は、一般的なビジネス書などとは異なり、大変読みにくい文章です。ビジネスモデル特許の多くが、ＩＴ系のシステムを活用するものであり、ＩＴ系の技術の詳細が記載されているため、多くの人にとって難解な文献です。しかし、特許出願の公報には、必ずタイトルや発明の内容の要約が書かれています。要約には、その発明により解決したい課題が記載されています。これらを流し読みするだけでも、世の中のニーズや、業界の潮流などを把握するのに役立ちます。

特許文献のなかには、「いきなりステーキ」のビジネスモデルについての特許文献（特許第５９４６４９１号）なども含まれております。このような比較的とっつきやすい文献を見てみるだけでも、新たなビジネスモデルを生み出すためのインスピレーションを与えてくれるきっかけになります。新たなビジネスモデルを考えようと思ったときには、流し読み程度でもよいので、特許文献を検索してみるのも効果的です。

5 — M＆Aで役立つ知財の使い方

急増が予測される中小零細企業のM＆A

中小零細企業のM＆Aに積極的に取り組んでいる、日本的M＆A推進財団のウェブサイト（https://jmap-ma.com/）によると、日本には、３８６万社もの企業が現存しているものの、実に87％に当たる３３４万社が小規模、零細企業に該当しています。そのうち、10年以内に経営者が70歳を超える企業数は２４５万社にのぼり、さらにその5割以上に後継者がいない状況です。

年間で5万社を超える法人が精算・解散し、２０２5年までに約22兆円ものＧＤＰを喪失する結果になってしまうことが懸念されています。このような状況下であることから、各種の補助金を交付するなどして、中小零細企業のM＆Aが推進されつつあります。

このような社会情勢にあるため、今後はM＆Aのディール（取引）件数が加速度的に増加していくことが予測されます。その一方で、企業買収する側と、買収される側との間で、さまざまな問題が発生してくることが予測されます。前述の日本的M＆A推進財団では、税理士、会計士の方々が中心となって、「士業」連携により中小零細企業のサポートを進めています。私自身も、日本的M&A推進財団に会員登録していて、M&A案件の当事者である企業様の知的財産権についてのサポートをしました。

日本的M&A推進財団のように、身近な存在である士業がM&Aに携わることができれば、技術的な相性など細かなことまで配慮が及ぶでしょうが、そうでなければ大企業同士のM&A案件において一般的に行われるデューデリジェンス（担当の調査など）と同様に、事業内容、財務、税務、法務、人事などの観点での判断に終始し、技術的な相性までサポートしてもらえない可能性が高くなります。

ビジネスエコシステムを構成するためのアライアンス先を探すのと同様に、M&Aを行う場合にも知的財産情報を活用して、知的財産的な観点での相性についての検討も必須になります。中小零細企業のM&Aの場合は、特許や商標などの知的財産権を多く保有しておらず、それほど手間をかけることなく確認できるケースが多いので、手間を惜しまず確認するようにすべきです。

M&Aに備えて取り組むべき知的財産対策

M&Aに際して、売り手側の企業は、その価値を買い手側に評価してもらう必要があります。金銭的なもの、土地や建物などの不動産、機械や設備などの目に見える資産（有形資産）は、その存在が明確であり、価値評価も比較的行いやすい傾向にあります。

しかし、アイデアやノウハウ、デザイン、ブランド（信用力）などの目に見えない無形資産である知的財産は、門外不出とすべきものを除き、特許庁への出願対象となるものについて出願することにより、書面を通じてどのようなものであるのかが確認できる状態になります。特許庁への出願を経て、権利化できれば、さらに財産的価値を高めることができます。

そのため、M&Aのディールを行う前に特許庁への出願や権利化を行っておくことにより、それまでに築き上げてきた知的財産を評価対象に含めることができるようになります。M&Aにおいて売り手側となる企業は、ディールが行われるまでの間に、知的財産の棚卸しを行い、権利化できるものは権利化しておくことが得策です。M&Aのディールにおいて買い手側となる企業にとっても、売り手側の知的財産が権利化されていると、安心してディールを進めることができます。

特許庁での審査には、それなりの時間がかかります。M&Aへの検討を開始するタイミングに合わせて、なるべく早く知的財産の棚卸しを行い、出願すべきものは出願するようにしましょう。

第3章

ここがポイント！

- 「マーケティング」とは、顧客視点で売れる仕組みを作り、顧客に提供する価値を向上していく取り組みのこと。

- 知的財産情報は、競合の分析や、市場において顧客に価値を感じてもらえる独自化・差別化された「独自資産」の発見など、マーケティング活動に活用できる。

- 特許出願後に通知される拒絶理由通知書への対応は、他社技術に対して自社技術が独自化・差別化できるポイントを探す機会と捉えれば、真の強みを発見するためのマーケティングツールとして活用できる。

- M&Aのディールを行う前に特許庁への出願や権利化を行っておくことにより、それまでに築き上げてきた知的財産を評価対象に含めることができるようになる。

- 理想とする顧客に価値を感じてもらえる「独自資産」は、特許権や商標権などの知的財産として権利化して、保護することが大切。

第4章

イノベーションツールとしての知的財産の使い方

1　イノベーションとは

「イノベーション」≠「技術革新」

「イノベーション」は、「技術革新」という意味で解釈されることが多い言葉ですが、技術革新だけがイノベーションではありません。

1958年の『経済白書』においてイノベーションを「技術革新」と翻訳して紹介されたため、日本では「イノベーション」といえば「技術革新」というイメージがついています。日本経済新聞においても、少し前まで、記事の中で「イノベーション（技術革新）」と紹介していたので、無理もありません。

技術革新は、イノベーションに含まれるものではありますが、イノベーションそのものではありません。技術革新と呼ぶのにふさわしい大発明ばかりがイノベーションではないのです。

著書『イノベーションのジレンマ』で有名なアメリカの経営学者クレイトン・クリステ

ンセン氏も生前、「破壊的イノベーション」という言葉がひとり歩きしてしまい、イノベーションという言葉が「新しいテクノロジー」を表すものとして使われ、「技術革新」を意味するものと誤解されていることを憂いていたそうです。

エグゼクティブにとっての「イノベーション」とは

イノベーションとは、「物事の『新機軸』『新結合』『新しい切り口』『新しい捉え方』『新しい活用法』（を創造する行為）のこと」であります（『ウィキペディア』より引用）。

経営に責任をもつ経営者や経営幹部であるエグゼクティブの仕事は、経営上の成果を生み出すことです。そのため、**エグゼクティブにとっての「イノベーション」は、「経営上の成果を生み出すための新しいアイデア、あるいはこのような新しいアイデアを創造すること」であります。**

技術的なアイデアは、新しい商品を生み出す原動力になるものであり、経営上の成果に直結することが多いため、エグゼクティブにとってのイノベーションのひとつであることはいうまでもありません。しかし、技術的なアイデアだけがエグゼクティブにとってのイノベーションではないのです。つまり、技術開発を行っている製造業だけがイノベーションを起こせるのではなく、サービス業や流通業などでも起こすことができるのです。

例えば、おそらく誰もが一度は使ったことのあるAmazon。

Amazonの有名な特許として、「ワンクリック特許」と呼ばれるものがあります。

この特許は、ＥＣサイトでの商品購入時に、あらかじめ支払い情報と住所を登録しておけば、ボタンをワンクリックするだけで、ショッピングカートを経由せずに注文を完了できるというアイデアに関するものです。

ワンクリック特許は、この機能を実現するための技術的な要素はあるかもしれません。しかし、ワンクリック特許のアイデアは、「技術革新」と呼べるような革新的な技術が使われているとは考えられません。このアイデアは、ユーザーの利便性を向上させるという、Amazonの利用者に対する価値の提供を実現するだけでなく、「カートに商品を入れたけれども結局買われなかった」という「カゴ落ち」と呼ばれる問題を解消しています。

このように、「ワンクリック特許」は、Amazonにとって、経営上の成果である顧客に対する価値の提供や利益を生み出すのに役立つ新しいアイデアを特許で守ったものであり、まさにイノベーションと呼ぶのにふさわしい事例といえます。

イノベーションを起こそう

イノベーションは、技術革新と呼ばれるような大発明をしなくても起こすことができます。例えば、既存の何かと何かを組み合わせて新しいことを始めてみるなど、エグゼクティブとして、イノベーションを起こすための第一歩を踏み出してみましょう。

2　発明の成り立ちから考える24通りのイノベーションの起こし方

発明は、大きく分けて「着想の提供」と「着想の具体化」の二段階で成立しているといわれています（**図4-1**）。

着想の提供とは、解決すべき課題や、顧客のニーズを発見することをいいます。

また、着想の具体化とは、着想の提供の段階で見つけた課題を解決したり、顧客のニーズをかなえたりするための具体的な解決策を見つけ出すことをいいます。

着想の提供は、イノベーションの種を見つける段階、着想の具体化は、イノベーションの種を育てて花を咲かせる段階になります。


着想の提供の段階において、解決すべき課題や、顧客ニーズを発見するためにはいろいろな方法がありますが、本書ではドラッカー氏が著書『イノベーションと企業家精神』の中で提唱している「7つのチャンス」の見つけ方に加え、知的財産情報から課題やニーズを発見する方法という、計8通りの方法について紹介します。

同様に着想の具体化の段階においても、課題解決や顧客ニーズへの対応のために考えられる方法にはいろいろなものがありますが、本書では、比較的取り組みやすい3つの方法について紹介します（**図4-1**）。

着想の提供方法として伝える8通りの方法、着想を具体化する方法として伝える3つの方法を掛け合わせれば、24通りのイノベーションの起こし方が考えられるようになります。

それでは、これらの方法について、具体的に見ていきましょう。

図4－1　発明の成り立ちから考える商品開発

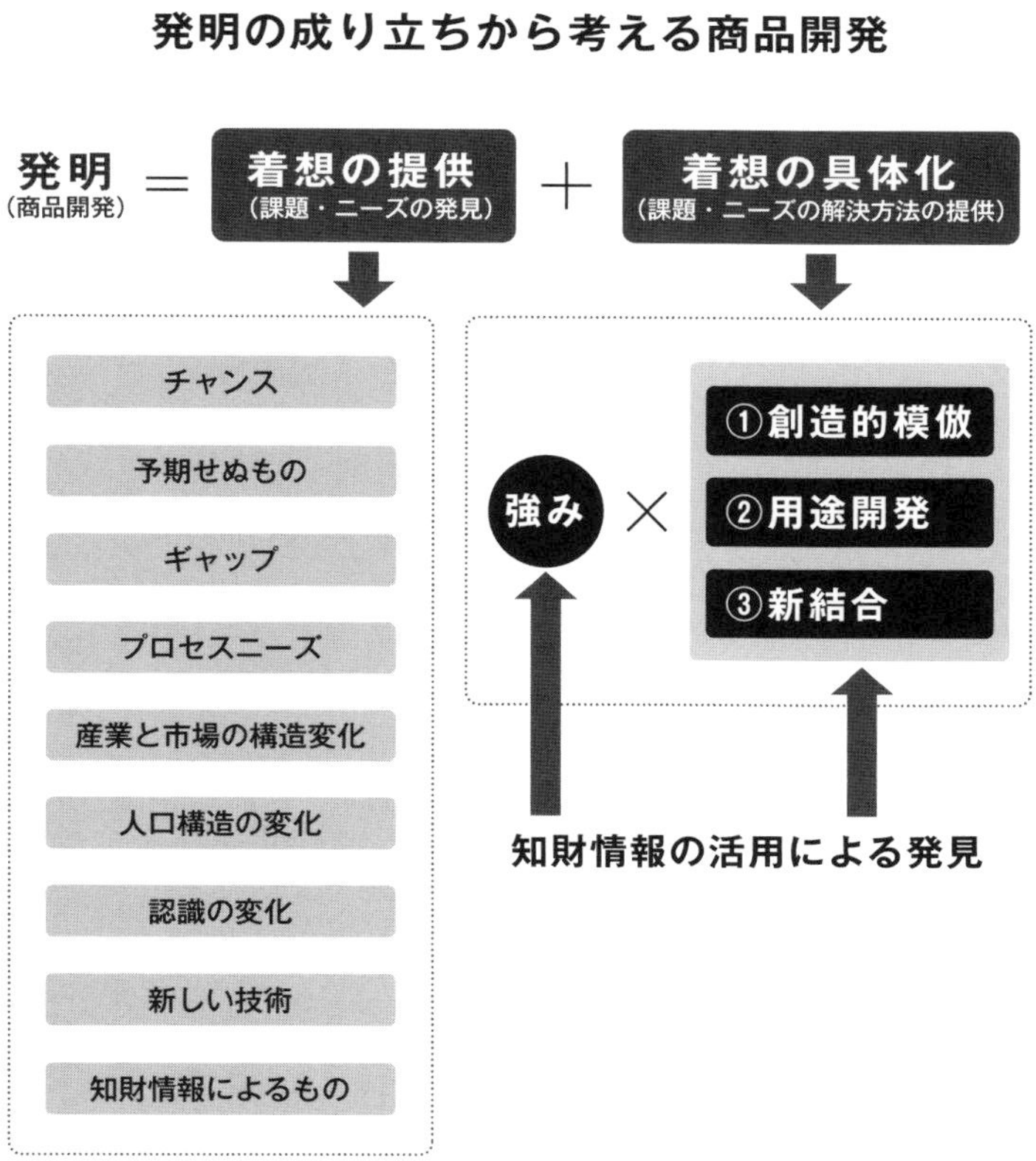

3 イノベーションを起こすための7つのチャンス

経営学の巨匠であるドラッカー氏は、著書『イノベーションと企業家精神』の中で、イノベーションの機会は7つあると紹介しています。この7つの機会は、イノベーションを起こす契機となる着想を提供してくれる、貴重なチャンスといえます。7つの機会について、ここで簡単に説明したいと思います。

①予期せぬ成功、予期せぬ失敗

まず、ひとつめの機会は、予期せぬ成功や予期せぬ失敗についてです。

「予期せぬ成功」は、すでに成功しているのですから、リスクが小さく、苦労の少ないイノベーションは起こりません。しかし、予期せぬ成功を収めていても、固定概念にとらわれていると、成功を収めていることにすら気づかなかったり、成功であることを認められなかったりして、見逃してしまうことがあります。

単なるミスや過失などによって失敗したのではなく、慎重に計画し、設計し、実施したにもかかわらず「予期せぬ失敗」が発生したときは、その失敗がイノベーションの可能性を教えてくれることがあります。

これまでの製品やサービスの設計など、自社や同業者間において常識と思われていたものが現実離れしたものに変化していたり、顧客の価値観や認識が変わってしまったりしたときには、「予期せぬ失敗」が発生します。

「予期せぬ失敗」が発生した場合は、その製品やサービスのプロが想定していないことが起こっているので、その製品やサービスの根底を覆すようなイノベーションの機会が潜んでいる可能性が大いにあります。

②ギャップの存在

ふたつめの機会はギャップの存在です。

ギャップとは、あるべき姿と現状との差のことです。すでに変化が起こっていたり、変化が起こりうる状況であったりすると、それがギャップとして現れます。ギャップに気づくことができれば、商品開発や、市場開拓を行うためのチャンスとして活かすことができます。
イノベーションのチャンスとなるギャップは、業績や認識、価値観、プロセスなどの観点で探すとよいでしょう。
仮に、需要が伸びているはずなのに売上も利益も伸びていないのであれば、業績のギャップが生まれているはずです。業績のギャップに気づくことができたなら、例えば、セグメンテーションや、ターゲティング、ポジショニングの観点から事業を見直すことにより、業績のギャップを解消するためのイノベーションが生み出せるでしょう。

努力が成果に結びつかない状況である場合には、問題や課題に対する認識を見誤ったことによるギャップが生まれている可能性があります。問題や課題をいち早く正しく認識できれば、ギャップを解消するためのイノベーションの芽を見いだすことができるでしょう。

生産者や供給者が提供したいと思っている価値と、顧客が真に必要としている価値との間に違いが存在する場合には、価値観のギャップが発生します。価値観のギャップに気づくことができれば、顧客が真に必要としている価値（満足）を見いだし、それを満たすためのイノベーションを起こすことができます。

プロセス上のギャップは、ドラッカー氏も「見つけられないような代物ではない」と言っています。ただし、プロセス上のギャップは、顧客がすでに感じていることであり、顧客の声に耳を傾け、真剣に取り上げることにより解消することができます。

例えば、アルコン・ラボラトリーズ（現アルコン・インコーポレーテッド）という会社は、眼科の手術医が目の中の筋肉組織にメスを入れるときに常に不安を感じているという声に耳を傾け、それをプロセス上のギャップとして捉えました。その結果、同社は、筋肉組織を溶かす酵素を製品化することができ、イノベーションを起こすことができました。

③ニーズの存在

3つめの機会は、ニーズの存在です。

具体的なニーズが存在している場合には、そのニーズを満たすようにすればよいので、対応しやすく成功確率の高いイノベーションのチャンスです。

イノベーションのチャンスとなるニーズの存在は、プロセスニーズや、労働力についてのニーズ、知識についてのニーズの観点で探すとよいでしょう。

プロセスニーズは、あるプロセスのなかの一部が欠落している場合に発生するニーズです。

例えば、街中にあるセブンイレブンの店舗内に設置されたセブン銀行のATM。ATMは銀行にとって顧客に対する銀行業務の提供に必須ですが、ATMコーナーを街角に設置するためには数千万円以上の投資が必要になります。そして、ATMの運営には、それなりのコストが発生します。都市銀行クラスの銀行でさえ、統廃合によりATMを減らそうとしている状況です。そのため、地方銀行などの中小規模の金融機関にとって、ATMを設置するのは非効率な投資となります。このような銀行業務のプロセスのなかで、非効率なATMの提供を代行しているのが、セブン銀行のATMなのです。

労働力のニーズは、労働力不足から生じるニーズであります。

例えば、製造業において熟練工の高齢化と人材不足による労働力不足が発生しています。このような労働力不足を解消するために、熟練工の技を学習させた産業用ロボットが活躍しているのは、労働力不足というニーズをイノベーションの機会として捉えたものといえます。また、事務作業を担うホワイトカラーの労働力不足から生じるニーズがイノベーションの機会となって提供されているものとして、ＲＰＡ（Robotic Process Automation）と呼ばれるソフトウエアロボットがあります。ＲＰＡを使えば、例えばＰＣなどを用いて行っている会計処理などの一連の作業を自動的に行わせ、労働力のニーズを解消することが可能です。

知識ニーズは、新しい知識を必要とする状況で生まれるニーズです。知識ニーズを満足させるためには、新たな技術開発などのために研究開発が必要になるケースがあります。

④産業構造の変化

４つめの機会は、産業構造の変化です。

ある産業が急成長したり、急激に縮小したりしたときには、その変化の影響が市場にあらわれます。結果、それまでの市場のバランスが崩れ、さまざまなところにニッチ市場が生まれます。産業構造の変化が生じたときには、新規参入のチャンスが生まれます。

例えば、自動車業界。

自動車業界は、少なくとも二度にわたって産業構造の変化を経てきました。

第一の波は、20世紀の初め頃に欧米で起こりました。当時、自動車業界は、急成長を遂げたことにより、富裕層のものであった自動車が、富裕層向けのものではなくなったのです。

こうした変化が起こったときに、ロールス・ロイスは、王侯貴族のための自動車メーカーに変貌しました。また、フォードは、大量生産方式を採用し、当時の自動車販売価格の5分の1まで価格を下げました。これに対し、ゼネラルモーターズ（GM）は、他の自動車メーカーを吸収合併し、あらゆる顧客層に対応できるフルラインナップの自動車メーカーに成長しました。フィアットは、軍隊向けの自動車に特化する対応をとりました。

第二の波は、1960年代から1980年代にかけて起こりました。

その頃、自動車の市場は、自国にとどまらず、国際的な市場へと変化していきました。

このような動きのなか、日本の自動車メーカーも、アメリカに進出しました。日本仕様の自動車を輸出していた当初は失敗しましたが、その後、アメリカ市場に合わせたものを輸出するようになり、大成功を収めました。

世界的な自動車メーカーを例にあげると、フォードはヨーロッパに進出、GMはアメリカに留まる戦略をとり、両社とも成功しました。また、メルセデス・ベンツも、高級車と、タクシー、バスに特化し、成功を収めました。かたや、当時ビッグスリーとして肩を並べていたクライスラーは、産業構造の変化に対して、付け焼き刃のような対応を繰り返し、最終的に破綻同然にまでなりました。

このような流れの一方で、ボルボ、BMW、ポルシェは、産業構造の変化によって生じたニッチ市場で躍進しました。ボルボは弁護士や会計士、医師などの専門家をターゲットとするニッチ市場で成功を収め、BMWは若手の成功者をターゲットとし、ポルシェは、高級スポーツカーというニッチ市場を開拓しました。

そのような自動車業界ですが、今まさに第三の波を迎えようとしています。

これまで、内燃機関（エンジン）を駆動源としていた自動車が、環境問題などの影響を受け、電動化の波にさらされています。結果として、自動車業界への参入障壁となっていた内燃機関を使わなくてもよくなりました。テスラを筆頭に、GoogleやAppleといったIT系企業など、さまざまな異業種企業による自動車業界への新規参入が、ほぼ確実視されているのも、産業構造の変化がイノベーションのチャンスになることを物語っています。

⑤人口構造の変化

5つめの機会は、人口構造の変化です。

これは、将来を予測するうえで確実性が高い情報です。人口構造の変化は、ある日突然訪れるようなものではなく、予測したい年に合わせて現在の人口構造をスライドさせれば、それほど大きな誤差が生じることなく、その年の人口構造を予測し、イノベーションのチャンスとして活用することができます。

先進国では、医療の発達に伴って高齢社会になりつつあります。その先進国のなかでも他の国に比べて日本はとりわけ高齢化が進んでいます。2025年には、いわゆる団塊の世代が75歳以上の後期高齢者となり、国民の3人にひとりが65歳以上、5人にひとりが75

歳以上という、超高齢社会が到来する見込みになっています。２０２５年には、高齢者向け事業の市場規模は、１００兆円を超えるとの試算もあり、次々とイノベーションが起こっています。

例えば、半日型のデイサービス施設を全国に多店舗展開しているレッツ倶楽部や、シニアをターゲットに三井不動産レジデンシャル株式会社をはじめとする各社が提供しているサービス付き住宅事業、高齢者に対してワタミの宅食®などお弁当の宅配サービスを提供する事業、介護旅行あ・える倶楽部が提供しているヘルパー付きの旅行援助サービスなど、人口構造の変化をイノベーションの機会と捉えることにより、さまざまな事業が提供されています。

⑥認識の変化

６つめの機会は、認識の変化です。

新型コロナウイルス（COVID-19）の流行は、急激かつ劇的な認識の変化をもたらしました。先に紹介した事例のように、認識の変化が起こることにより、さまざまなイノベーションのチャンスが生まれています。

⑦新しい知識の出現

7つめの機会は、新しい知識の出現です。

新しい知識は、一般的にイノベーションと思われている技術革新などが該当します。成功により得られるものが大きい反面、もっとも成功が難しいイノベーションであります。

以上、説明した7つのチャンス（機会）は、信頼性と確実性の高い順に並べました。新型コロナウイルス（COVID-19）の流行に伴い、⑤人口構造の変化や、⑥認識の変化によるチャンスに目を配る必要があるのはいうまでもありません。

しかし、世間が⑤人口構造の変化や、⑥認識の変化に目を奪われている今こそ、信頼性と確実性の高い①予期せぬ成功・予期せぬ失敗や、②ギャップの存在、③ニーズの存在に目を向ければ、他社が気づかないイノベーションのチャンスをつかめる可能性が高くなるかもしれません。

これらのチャンスを見逃さないためにも、紹介した7つのチャンスを念頭に置き、何かイノベーションのきっかけになるものがないか、常に気を配るようにしましょう。

4　知的財産情報を活用したイノベーションのチャンスの見つけ方

知的財産情報の活用は、ドラッカー氏が提唱している7つのチャンスと並んで、イノベーションのチャンスを見つけるために有効な方法です。

以下、知的財産である特許や実用新案、意匠、商標などの知的財産に関する情報を活用して、イノベーションのチャンスを見つける方法について紹介します。

特許・実用新案に関する情報を活用したイノベーションのチャンスの見つけ方

特許や実用新案について、特許庁が公開する公報を見てみると、「発明（考案）が解決しようとする課題」や「発明の効果」という欄があります。この欄を参照すれば、公開公報に記載されている発明や考案の背景となった、従来技術における課題や問題点が明記されています。気になる特許や実用新案の公報を確認することにより、どんな課題や問題点があるのかを具体的に確かめることができるのです。

例えば、表計算ソフトや知的財産情報の分析ツールを駆使するなどして、これらの欄に登場するキーワードについての統計データを取得すれば、どのような課題や問題点が注目を集めているのかを分析したり、課題がどう時系列的に変化してきたのかが確認できたりします。この分析を行うことにより、今必要とされている情報を認識したり、自社では気づいていない課題を見いだすことができます。

特許や実用新案に関し、自社の技術分野について出願をしている企業名をリストアップしてみてください。当然のことながら、自社と同様に、出願件数の上位に同業他社が表れると思いますが、下位のほうまで目を配ると、その技術分野では見慣れない他業種の企業名が入っていることがあります。他業種企業の出願を確認してみると、自社の得意とする技術が、想定外の使われ方をしていることがあります。このような文献を参考にすることにより、想定していなかった技術分野で自社技術を活用するチャンスを発見することができます。

他業種の企業は、自社が得意とする技術を必要とし、自社の顧客となりうる可能性があります。特に、それらの企業の出願日がそれほど古くない場合には、現時点でもその技術を必要としている可能性が高いものと想像がつきます。つまり、自社の技術分野に関する出願をしている企業のリストを確認するだけでも、イノベーションのチャンスや、新規顧客の発見につながる可能性があるということです。

意匠に関する情報を活用したイノベーションのチャンスの見つけ方

経済産業省の調査結果などによると、デザイン力を重視している企業はいまだ10%にも満たない状況にあります。しかし、Appleやdysonなどの外国籍企業の成功例を見ると、技術的なイノベーションだけでなく、デザインにおいてイノベーションを起こすこともチャンスとなることが容易に理解できます。

『ネジザウルス®』という商品名の工具で有名な株式会社エンジニアの髙崎《たかさき》充弘《みつひろ》社長は、

著書『「ネジザウルス」の逆襲』のなかで、**「ヒット商品を生み出すうえで、（中略）お客様が必ずしも機能や価格における満足だけを求めていないからです。（中略）商品を購入することによって共感や感動といった要素も手に入れたいと考えている。機能や価格を評価軸とする商品価値を『機能価値』と呼ぶのに対して、後者のような評価軸によって顕在化する商品価値は『感性価値』や『情緒的価値』と呼ばれています」**と述べられています。

髙崎社長は、「感性価値」や「情緒的価値」を高めるためにデザインが必須の要素であると考え、一般的にデザイン性があまり求められることのない工具において、デザイン性の高い商品を世に出しています。その結果、年間1万丁も売れれば大ヒットとされる工具のなかで、発売から10年余りで２５０万丁もの売上を誇るメガヒット商品を生み出しました。

デザインに着目することは、ヒット商品につながるイノベーションのチャンスを見つけるきっかけになり得ます。日本企業の多くは、いまだにデザインの重要性にまで注意が及んでいません。つまり、**デザインによるイノベーションは、技術的なイノベーションよりも効果が現れやすいと考えられます。**

しかし、デザインに着目している企業が少ない分、競合他社の意匠出願を見ても参考になる例は少ないのが実情です。意匠に関する情報を活用してイノベーションのチャンスを見つけるのであれば、例えば、自動車産業やインテリア系の分野などのように、デザイン性が問われる分野の意匠登録例の情報が、非常に参考になります。

商標に関する情報を活用したイノベーションのチャンスの見つけ方

商標は、イノベーションとは関係がない。

そう考える方が大半だと思います。

しかし、商標も、イノベーションを起こすチャンスになるのです。

例えば、日清食品の「カレーメシ」は、「日清カップカレーライス」として販売されていた商品をネーミングを変更して、売上を伸ばしました。

「日清カップカレーライス」は、消費者からの「ごはんとカレールーが分かれていないのは、カレーライスじゃない」といった反響を受け、アートディレクターである佐藤可士和《さとうかしわ》氏プロデュースのもと、ブランドコンセプトの見直しが行われました。

その結果、〝理解不能な新しさ〟をコンセプトに、若年層の男性に絞って誕生したのが「カレーメシ」なのです。

リニューアルにともなって、調理方法が電子レンジによる調理から、カップラーメンのようにお湯を注ぐ方法に変更されたことも人気の要因となり、売上が上昇。リニューアル後、年間売上が、前年比で2倍に達するヒット商品になりました。

このように**イノベーションのチャンスは、商標の観点でも見つけることができる**のです。いろいろなネーミング法などを使うのも良いですが、他の業界の商標を参考にすることも効果的です。

とはいえ、すべての商標出願を確認するのは現実的ではありません。

自社の企業イメージや、商品・サービスのイメージとしてふさわしいコンセプトを検討し、そのコンセプトにマッチする商品やサービスについての商標登録情報を活用することで、商標によるイノベーションのチャンスを見つけることができます。

また、Twitterを見てみると「商標登録ｂｏｔ」（@trademark_bot）と呼ばれるアカウントで、出願段階の商標が機械的にツイートされています。このアカウントをフォローしておくと、隙間時間を活用していろいろな分野の商標出願例を参照できます。日々、イノベーションのチャンスがないか確認しながら、ネーミングセンスを鍛えることができるので、非常におすすめです。

5　イノベーションを起こす

ドラッカー氏が提唱している「7つのチャンス」や、知的財産情報の分析などの切り口で、イノベーションを起こすための着想が見つかれば、その着想を実現することによりイノベーションを生み出すことができます。

ここでは中小企業や、これから立ち上げるプロジェクト、スタートアップなどのように、ふんだんに経営資源を使える状況にない状況であっても比較的取り組みやすい3つの方法を紹介します。

イノベーションを起こすための3つの方法

イノベーションの起こすための方法のうち、取り組みやすい方法として**（1）創造的模倣**、**（2）用途開発**、**（3）新結合**という3つの方法があります。まずはこの3つの方法について紹介します。（P．124図4-1参照）

（1）創造的模倣

創造的模倣によるイノベーションは、既存の成功や失敗をひと工夫してまねることによって起こすことができます。

創造的模倣という言葉は、オリジナルであることを意味する「創造的」という言葉と、オリジナルでないことを意味する「模倣」という言葉を組み合わせた、少し不思議な言葉です。創造と模倣という、水と油のように相反する組み合わせなので、矛盾を感じるかもしれません。しかし、このふたつの相容れない関係にあるものを組み合わせるところに新しさがあり、イノベーションが生まれるのです。

ドラッカー氏は、「創造的模倣」という言葉について、著者『イノベーションと企業家精神』の中で「この戦略は模倣である。企業家はすでに誰かが行ったことを行う。だが最初にイノベーションを行った者よりもそのイノベーションの意味をより深く理解するがゆえに、より創造的となる」と述べています。

つまり、創造的模倣と呼ばれる方法は、イノベーションを起こす方法であるにもかかわらず、製品やサービスを新たに作るための技術革新を起こすことが必須ではありません。創造的模倣は、すでに先駆者が開発した製品やサービスに新たな位置付けや意味付けを行うことによりイノベーションを起こす方法です。**先駆者が開発した製品などを活用する点においては「模倣」ですが、新たな位置付けや意味付けを行う点において「創造的」になるのが、創造的模倣によるイノベーションの特徴**になります。

創造的模倣によるイノベーションは、新しい製品やサービスを導入した先駆者との競争により顧客を奪い取ることによって成功するのではなく、先駆者が気付いていない市場を相手にするため、先駆者との間で競争関係が生じません。

創造的模倣によるイノベーションは、製品やサービスの開発に労力を必要としない反面、その製品やサービスの意味や価値を利用するものであるため、先駆者よりもイノベーションの本質を理解していなければ起こすことができません。

（2）用途開発

用途開発とは、「成功を活用したり、既存の技術や商品の新しい使い方を見つけたりすることによりイノベーションを起こす方法」のことをいいます。

用途開発についても、創造的模倣と同様に、既存の商品やサービスを活用してイノベーションを起こすものであります。すでにある商品などを活用する点において新しさはないのですが、**その商品やサービスにおける新たな活かし方を見いだす点において「創造的」なのが、用途開発によるイノベーション**になります。

用途開発によるイノベーションは、先駆者が気付いていない新たな用途に価値を見いだす顧客（市場）を相手にするため、創造的模様と同様に先駆者との間で競争関係は生じません。

(3) 新結合

新結合とは、「既存の何かと何かを合わせて、新しい何かを創り出すことによりイノベーションを起こす方法」のことをいいます。

新結合は、イノベーションの元祖である経済学者のヨーゼフ・シュンペーター氏が提唱したイノベーションを生み出すための方法です。シューペンター氏は、その著書『経済発展の理論』において、新結合（イノベーション）は経済発展を担う企業家が行うべきものとして提唱しています。

新結合についても、創造的模倣や用途開発と同様に、既存の商品やサービスを活用してイノベーションを起こします。**既存の商品などを活用する点において新しさはないものの、その商品やサービスの新たな組み合わせを見いだす点において「創造的」なのが、新結合によるイノベーション**なのです。

3つの方法のどれかでイノベーションに取り組む

創造的模倣、用途開発、新結合という3つの方法は、いずれも既存のものを活用できるため、ヒト・モノ・カネ・時間といった経営資源を潤沢に使えない事業や会社でも取り組みやすく、高い効果が期待できるイノベーションの起こし方です。

まずは、身近にあるものからイノベーションを生み出してみましょう。

6 異業種・他社の知的財産情報を活用した創造的模倣

創造的模倣によるイノベーションは、異業種や他社の特許情報を活用することにより、奥行きや幅が広がります。

創造的模倣によるイノベーションを生み出すためには、既存の成功や失敗をベースにして、ひと工夫する必要があります。最初にイノベーションを行った先駆者のように商品やサービスの開発に労力を必要としない反面、その商品やサービスにおける意味や価値を利用するものであるため、先駆者よりもその商品やサービスについて深く理解しておく必要があります。

しかしながら、異業種や他社の商品やサービスに関する情報は、簡単に入手できるものではありません。その商品やサービスがどのようなものであるのかを解析するために、実際に購入したり、利用したりしても、解析しきれないところが残ってしまうことがあります。

メジャーな企業が出している商品や、大ヒットしている商品なら、インターネット検索や、書籍・雑誌などの各種メディアから情報を入手できるかもしれません。しかし、各種メディアで紹介されている商品やサービスは、世の中に数え切れないほどある商品のごく一部にすぎません。そのため、異業種や他社の製品やサービスに関する情報を、信頼できる情報源から入手するのは難しいのが実情です。

数ある情報源のなかでも、信頼性が高く、しかも無料で情報を手に入れられるものがあります。それが、特許庁で公開されている特許や実用新案、意匠、商標に関する知的財産に関する情報（知的財産情報）なのです。

特許庁で公開されている情報は、知的財産であるアイデアなどを生み出した企業や個人が、自ら特許庁に提出した書類の内容となります。そのため、情報源の上流側から発信された情報を入手することができます。

特許庁に出願するためには、それなりの労力や費用がかかります。特許請求する発明の内容を文章や図面で正確に表す必要があり、相当な時間と労力がかかるのです。弁理士に依頼して出願している場合には、相応の費用が発生します。つまり、自社製品を守れないような、的外れな内容で特許庁への出願がなされることはきわめて稀《まれ》です。特許庁に出願され、公開されている内容は、インターネットなどで検索して得られる情報よりもきわめて品質が高く、信頼性の高い核心に迫る内容なのです。

実際、私達弁理士も、未知の技術分野についての特許出願を依頼されたときなどには、インターネットや書籍、雑誌などから情報を得るだけでなく、特許庁で公開されている公開情報を探し出し、いくつか選んで読み込みます。

弁理士が、いろいろな技術分野で活躍されているプロの開発者や研究者のお話を理解して、特許出願の申請書類などを作成できるのも、特許庁で公開されている特許などの知的財産に関する情報を活用しているからなのです。

特許庁に出願されている情報は、特許庁の外郭団体である工業所有権情報・研修館が提供している「J-Plat Pat特許情報プラットフォーム」というサイトを用いることにより、無料で検索することができます（https://www.j-platpat.inpit.go.jp/）。

知的財産情報をイノベーションに活用するときに注意すべきこと

特許をはじめとする知的財産の情報を検索して見つけたものを、そのままの形で作成してしまうと、単なる模倣になります。また、見つけたものが、特許権などの権利を有している場合には、そのまま出願すると特許権侵害になります。それでは、新たなビジネスを生み出すどころか、新たなあつれきを生み出すことになりかねません。

具体的には、「摩擦によって透明になるインクを充填した芯A」と、「芯を収容する軸B」と、「軸の端部に装着されるキャップC」の機能を備えたボールペンの特許に目を付けたと

図４－２　構造を変更しても特許権侵害になる例

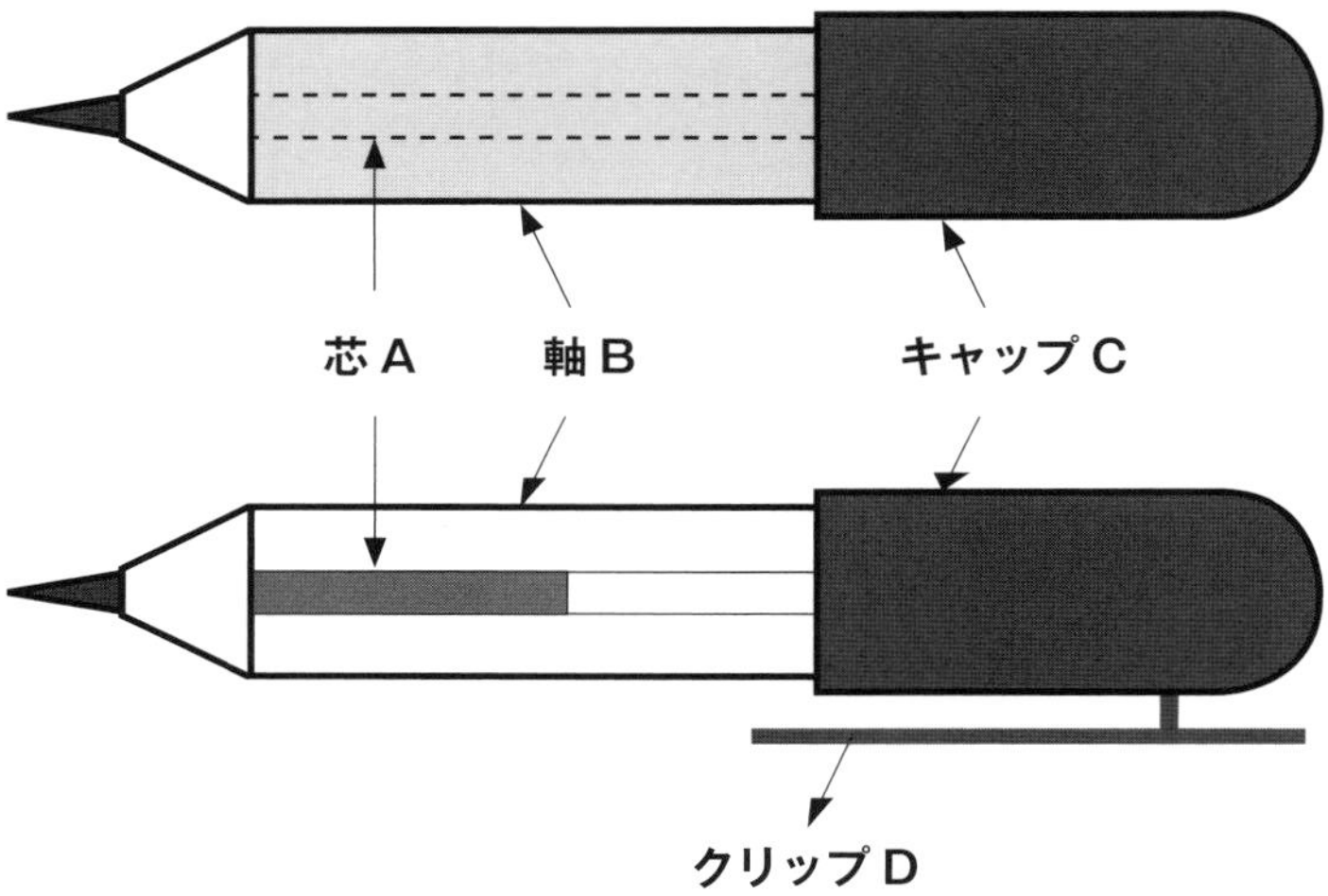

きに、芯Ａ、軸Ｂ、キャップＣのすべてを備えたボールペンを作ってしまうと特許権侵害になります。特許権侵害にならないようにするためには、芯Ａ、軸Ｂ、キャップＣのうち、少なくともどれかを備えていないものにする必要があります。

例えば、ペン型の容器にふりかけの「ゆかり®」を入れた「ゆかりペンスタイル」という商品が数年前に話題になりました。仮に芯Ａ、軸Ｂ、キャップＣを備えたボールペンの特許権が存在していたとしても、この商品は芯Ａを設ける代わりに、軸Ｂの中にふりかけを入れたものであるため、特許権侵害にはなりません。

芯を備えたボールペンであっても、摩擦に

よって透明になるインクを充填したものでなければ、芯Aを備えたものではないため、やはり特許権侵害にはなりません。これに対し、芯A、軸B、キャップCに加えて、クリップDを備えたボールペンは、芯A、軸B、キャップCのすべてを備えているため特許権侵害になります（**図4-2**）。

また、ひとつの特許権を侵害しないようにすることができたとしても、他の特許権などの権利を侵害する可能性もあります。そのため、新たな商品やサービスを作ったときには、知的財産権の権利侵害になっていないか、十分に注意する必要があります。

創造的模倣によるイノベーションを生み出すためには、見つけ出した情報に基づいて、権利侵害にならないように配慮しながら、ひと工夫する必要があります。

目を付けた知的財産情報が、自社技術と同じ分野であるなら、「うちなら、こうするのに」「そういう考え方をするなら、こういう考え方もできる」など、いろいろと思いつくのではないでしょうか。目を付けた知的財産情報が異業種であるなら、異業種だからこそ気付く工夫があるのではないでしょうか。

常に自社の技術を適用してみることはできないかという観点が重要になります。このような視点で考えてみれば、目を付けたひとつの知的財産情報をベースとして、さまざまな展開がひろがり、創造的模倣によるイノベーションに到達することができるのです。

創造的模倣の事例

創造的模倣によるイノベーションには、さまざまな事例があります。

例えば、明光商会の「シュレッダー」。

個人情報の保護が必須の現代社会において、今やビジネスに必要不可欠な存在になった「シュレッダー」は、江崎グリコのお菓子「ポッキー®」の製造装置の創造的模倣により生まれました。

開発当初、明光商会では、機密文書の処分法として、薬液での溶解や、冷凍後の粉砕を検討していたものの、苦戦していました。

開発者があるとき、子どもの頃に社会科見学で見た「ポッキー」の製造装置を思い出し、「小麦粉をこねた生地を機械に通すと細長く裁断されて出てきた」様子から、機密文書を細長く裁断することを思いつきました。事務用品とはまったく関連のないポッキー製造装置から創造的模倣することで生まれたのが、「シュレッダー」なのです。

神奈川県相模原市にある村春製作所の「傘ぽん®」も、創造的模倣による成功例のひとつです。

濡れた傘を上から差し込み引き抜くだけでビニール袋に収納できる「傘ぽん」には、名前までは知らなくても、多くの人が一度はお世話になったことがあると思います。

バブルが弾け、受注が先細り状態になりつつある危機感を抱いていた状況下で、板金加工業を営む同社が、特許を狙える自社製品を求めて開発したのが「傘ぽん」でした。

ビニールの傘袋に濡れた傘を入れるのに苦労している人の様子を見て、開発を決意して試作を重ねたものの、傘袋をスムーズに開くことに苦労していた同社が目を付けたのが、「靴べら」。靴べらの創造的模倣により、ペダルを踏むなどすることで作動するヘラを設けることにより、傘袋を開く機構を開発、試行錯誤の末に誕生したのが「傘ぽん」なのです。

現在では、ペダルのないタイプなどの改良品も開発されており、数億円にのぼる市場規模を誇る一大ヒット商品に成長しました。

そして、誰もが知っているオルファ株式会社の「カッターナイフ」は、「板チョコ」と

「靴職人が切断に使用していたガラス片」の創造的模倣と新結合により生まれた商品です。「切れ味が落ちない刃物を作れないか…」と考えていたところ、靴職人が材料切断用に使用しているガラス片を割りながら使っていることを思い出したのがきっかけとなり、刃を折ることで切れ味を回復させるアイデアが生まれました。さらに、開発者が、かつて進駐軍の外国人からもらった板チョコをヒントにして、刃をキレイに折るための折れ目を入れるアイデアが生まれました。創造的模倣により生まれたふたつのアイデアを新結合させることにより生まれたのが、折る刃式の「カッターナイフ」なのです。

創造的模倣によって開発された商品は、世の中にたくさんあります。

このように、これらの商品開発の際には、創造的模倣の対象になる商品を実際に手に入れて分析することも可能です。しかし、明光商会の「シュレッダー」の例で創造的模倣の対象とされた「ポッキー」の製造装置のように、実際に手に入れることが困難な場合や、商品を見るだけではよくわからない情報もあります。しかし、**特許情報を活用すれば、創造的模倣によるイノベーションを加速させることができます。**

まずは、知的財産情報を検索して創造的模倣のヒントを探してみましょう

創造的模倣によるイノベーションを起こすためには、ベースとなる既存の商品やサービスについての詳細な情報を取得するのが第一歩となります。まずは、無料で提供されているJ-Plat Patなどを活用しながら、創造的模倣のヒントとなる既存の商品の情報を探すところから始めてみましょう。

7　異業種・他社の知的財産情報を活用した用途開発

用途開発は、すでに世の中にある商品の特性や、アイデアを活かすため、大がかりな技術開発などを伴うことなくイノベーションを起こすことができます。この手法を用いれば、開発コストや時間を抑えながら新商品やサービスを生み出すことができるのです。したがって、用途開発は、創造的模倣の方法と同じく、取り組みやすいイノベーションの起こし方になります。

用途開発の事例

用途開発によるイノベーションには、創造的模倣によるイノベーションと同様にさまざまな事例があります。

例えば、スマートライフ研究所の「スナテックス® レジャーマット」と呼ばれる商品。この商品は、軍事用途で開発された素材の用途開発により誕生したレジャーマットです。このマットの素材は、砂漠などでのヘリコプターの離着陸用として軍事用途で開発され、上面から下面に砂や液体が通るが、逆は通らない特殊な二重構造になっています。この性質を利用し、ビーチ用のレジャーマットとして用途開発したところ、「砂が消える魔法のレジャーマット」と話題を呼び、大ヒット。今や、入荷即完売を繰り返す人気商品となっています。

「eneloop®」という商品名で販売されているニッケル水素電池も、用途開発により生まれた大ヒット商品です。「eneloop」を開発した三洋電機は、古くから電池の開発を得意とし、リチウムイオン二次電池の製造でも世界一に輝いたことのある技術力の高いメーカーでした。三洋電機は、電池と同様にデジタルカメラの開発製造でも実績のあるメーカーでしたが、家電業界におけるデジカメ製造の競争激化のあおりを受け、経営環境が悪化しました。

そんな折、目を付けたのが乾電池。ニッケル水素電池の国内消費量2000万本であるのに対し、乾電池の年間消費量が23億本（約100倍）であることに着目し、「繰り返し使えるエコな乾電池」と位置付け、乾電池の用途に合うよう、「買ってすぐに使える」かつ「自己放電を抑制する」ためのニッケル水素電池の改良を行いました。

ニッケル水素電池の新たな用途を開発し、適応するための技術開発を行った結果、販売から約5年で1億3000万本を売るヒット商品となりました。三洋電機は、その後パナソニックに買収されましたが、今もなお、三洋電機時代の「eneloop」という商品名のまま売れ続けています。

三洋電機と同じく、関西の家電メーカーであるシャープが製造している「ヘルシオ」という調理器具も、用途開発により生まれた商品です。

「ヘルシオ」が開発されるまでにも、水蒸気を300度超まで加熱したものを吹きかけ、調理する方法の業務用調理器具は存在していました。シャープの開発者が家庭用の調理器具として開発する過程で、この調理法を用いることで脂分が落ち、塩分を減らせることに気付いたのをきっかけに、「ヘルシー志向者向けの調理器具」として商品開発されたのが「ヘルシオ」なのです。

ちなみに商品名である「ヘルシオ」は、「ヘルシー」と「減る塩」とを掛け合わせた造語とのことです。

また、文房具メーカーのパイロットが販売している「フリクション®ボールペン」は、温度によって色が変わる「メタモインキ」と呼ばれるインキの用途開発から生まれた大ヒット商品です。

「フリクションボールペン」に用いられているメタモインキは、開発者が紅葉の色が変わる様子を見て、色彩変化を再現できないかと考え、1975年に開発されました。

メタモインキは、おもしろい特性を有するものの、用途が見いだされない日々が続いていました。

そのようなメタモインキに日の目が当たったのが、「フリクションボールペン」です。60度以上で無色になり、マイナス20度以下で発色するようにインキの特性を改良することにより、摩擦熱により透明になり文字が消える（透明になって消えたように見える）、「消せるボールペン」として用途開発されたのです。発売後6年の時点で、世界100カ国以上で発売、累計売上本数が4億本を超す大ヒット商品になりました。

寒い冬場にうれしいユニクロの「ヒートテック®」も、用途開発により生まれた商品です。開発当初、ユニクロでは、水分を吸収して熱エネルギーに変換できる特殊綿素材と、アクリル繊維の保温性を組み合わせたものを冬用下着の素材にしようと考えていました。しかし、実際にサンプルを作ってみると、冬でも汗をかく場面はあり、汗でかえって身体が冷えるという問題に直面。そこで、夏用下着に用いる速乾性素材に着目しました。夏用の素材を冬用下着に転用するという、逆転の発想で生まれたのが「ヒートテック」なのです。

また、工業用粘着テープ最大手の日東電工の子会社であるニトムズは、誰もが知っている「コロコロ®」を用途開発によるイノベーションにより生み出しました。

開発当時、ニトムズは、日東電工から、家庭用商品用の子会社として設立されたものの、ヒット商品が生まれていませんでした。そのような折、「ガムテープ」を裏返して服のホコリ取りをしている様子にヒントを得て、「清掃用具」という粘着テープの新たな用途を開発。その用途を実現したのが、「コロコロ」です。

用途開発によるイノベーションに知的財産情報を活用してみましょう

これまで紹介した用途開発によるイノベーションは、すでに開発されている特性を活かし、新たな用途を見いだすことにより実現できたものです。用途開発の対象になる商品が簡単に見つかり、入手できるのであれば、その商品を購入するなどして開発を進めることが可能です。

しかし、ある特定の用途に合う既存の技術や商品を探すときには、実際に存在している商品を探したり、入手したりするのが困難な場合があります。また、世の中には、アイデアのみが特許を取るなど、実際に入手可能な商品として実現されていないものもたくさんあります。

用途開発を行うためには、商品開発に必要な機能や効果を発揮できる既存のアイデアをいかにして見つけ出すかが問題になります。この問題を解決するための方法として、知的財産情報が大変役に立ちます。

特許文献に書かれている課題や効果に着目した用途開発

特許文献には、その特許技術を開発するに至った従来技術の問題点や課題、その発明による効果などの情報が記載されています。他社の特許出願に記載されている課題や問題点を分析することにより、自社が発見できていない新たな課題を見つけることができます。新たな問題点が判明すれば、自社が提供している商品やサービスについて、目新しい用途を見つけられます。

新規参入企業、共同出願先に着目した用途開発

自社の技術分野に関する特許出願について、どのような出願人がいるのかを分析してみると、自社が同業他社として認識しているのとは、異なる顔ぶれの企業が出願人に入っていることがあります。

そのような企業の出願を見つけたら、出願の課題や、技術内容についてチェックしてみ

てください。自社や同業他社では到底思いつかないような新たな使い方で、自社が提供している商品やサービスが使われていることがあります。このような用途が見つかれば、それを参考にすることにより、新たな用途を開拓することができます。

8 異業種・他社の知的財産情報を活用した新結合

新結合は、既存の何かと何かを組み合わせて、新しい何か（価値）を創り出すイノベーションの起こし方であり、新たな技術をゼロから作り上げる必要はありません。新結合は、創造的模倣や用途開発と並んで、経営資源を潤沢に使うことのできない中小企業や新事業の立ち上げに有効なイノベーションの起こし方になります。

新結合の事例

新結合によるイノベーションも、創造的模倣や用途開発によるイノベーションと同様の事例が多数存在しています。

トイレやキッチンなどの水回り関連商品で有名なＴＯＴＯ株式会社が販売している「魔法びん浴槽®」。２００４年に開発された商品ですが、エコ意識の高まりから、今改めて注目されている息の長い商品となっています。

風呂の湯が冷めないうちに入らなければいけないストレスは、誰しもあるのではないでしょうか？

同社では、人がイニシアチブを取れるお風呂なら生活が変わるとの信念で、真冬の夕方6時に子どもたちがお風呂に入って、夜中12時にお父さんが入るときにもまだ温かい「冷めないお風呂」をコンセプトとして開発が進められました。

そのような思いで開発されたのが、「魔法びんのような保温性能」と「浴槽」とを結合させた魔法びん浴槽。開発者の息子さんが遊んでいたラジコン飛行機に用いられていた発泡ポリプロピレンにより発揮される「魔法瓶のような保温性能」と、「浴槽」との新結合により生まれた商品なのです。

株式会社プロピアの大ヒット商品である「ヘアコンタクト」も、既存の「カツラ」と、既存の「絆創膏」との新結合により生まれた商品です。

「ヘアコンタクト」が世に出るまで、カツラは、地肌などに接着剤や両面テープを用いて付けるものが主流であり、着脱時に地肌に大きなダメージを与えるものでありました。同社の開発者が、使用者の地肌への負担を軽減し、生え際も自然で取れにくいカツラの開発を検討していたところ、絆創膏が頭に浮かんだのがきっかけで生まれたのが、「ヘアコンタクト」なのです。「ヘアコンタクト」は、絆創膏のように薄いフィルムに植毛する技術を確立することにより商品として完成し、瞬く間に大ヒット商品になりました。

また、「元禄寿司」（元禄産業）の経営者である白石義明《しらいしよしあき》氏が開発した「回転寿司」も、新結合によるイノベーションといえます。

「回転寿司」は、既存の「寿司」と、既存の「ベルトコンベア」との新結合により生まれました。

開発者である白石氏は、ビール工場で使われているベルトコンベアをヒントに、「コンベヤ旋廻食事台」のアイデアを生み出し、実用新案権を取得しました。そして、このコンベヤ旋廻食事台を活用して、１９５８年に大阪府東大阪市に「元禄寿司」を開店しました。

このイノベーションにより、「寿司は客の注文を聞いてその場で職人が握るもの」という固定概念が覆され、「先に作っておいた寿司をコンベアで提供する」という新しいコンセプトによる製造方法や提供方法が生まれたのです。その結果、多数の客の注文を低コストで効率的にさばくことが可能になり、かつて高級料理であった寿司を、家族連れなどでも気軽に楽しめる身近な存在に変貌させることができたのです。

新結合によるイノベーションに知的財産情報を活用してみましょう

新結合によるイノベーションは、既存のもの同士の組み合わせにより、新たな価値を創造することです。既存のものがどのような構造であるのかや、どのようなものがあるのかを知ることができれば、新結合によるイノベーションを効率的に、幅広く起こすことができます。

第4章

ここがポイント！

- 技術革新と呼ばれるような大発明だけが、イノベーションではない。

- 技術革新とまで呼べないような新しいやり方、新しい切り口のほうが、むしろ経営にインパクトを与えるイノベーションにつながるパワーを秘めている。

- エグゼクティブにとってのイノベーションは、「経営上の成果を生み出すための新しいアイデア、あるいはこのような新しいアイデアを創造すること」。

- 発明が「着想の提供」と、「着想の具体化」の二段階で成立しているのと同様に、いかにしてチャンスを見つけ、具体化するのかを考えれば、イノベーションを起こすことができる。

- ドラッカー氏が提唱している７つの機会に加え、知的財産情報の活用を８つめの機会とすれば、イノベーションのチャンスを見つけるための視野を広げることができる。

- 着想を具体化するために(1)創造的模倣、(2)用途開発、(3)新結合からなる３つの方法を駆使すれば、経営資源に乏しい中小企業やスタートアップ企業でも容易にイノベーションに取り組むことができる。

第5章

ブランディング・販促ツールとしての知的財産の使い方

1　ブランディングとは～誰に何を伝えるのか？

ブランディングとは

ブランディングとは、顧客が商品やサービスを識別できる状態にすることです。

商品やサービスを「識別」できている状態とは、他の商品やサービスとの違いがわかる、差別化・独自化ができていることをいいます。

ブランディングを行うためには、他の商品やサービスとの違いを明確にすることがまずは必要になります。しかし、その方向性を間違えると、自社にとってマイナスの方向に働くブランディングになってしまいます。自社はブランディングをしっかりやっているから…と言っても、誰に何を伝えるのかが明確になっていないと、ブランディング効果が発揮できないばかりか、顧客に対してネガティブなイメージを与えるブランディングになってしまうので要注意です。

ブランディングは、「顧客」が商品やサービスを識別できる状態にするものです。**ブランドが存在するのは「提供側（企業側）」ではなく、顧客側である**ということを忘れないようにしてください。

ブランディングを成功させるためには、自社自身、あるいは自社商品・サービスを受け入れてもらいたいという提供側の思い（ブランドアイデンティティ）と、顧客のなかに構築されるブランドイメージをマッチングさせます。

そのためには、ターゲットとなる顧客に対し、ブランドをイメージさせたり、ブランドの価値を体感させたりして、ブランドの価値を認識させるための刺激を与え続けることが必要です。

例えば、テレビコマーシャルで流れるジングル（場面の切り替わりなどの節目に挿入される短い音楽）やキャッチコピーが、年単位で同じものが使われるのも、ブランドをイメージさせる刺激を、顧客に対して定期的に与え続けるブランディング戦略の一環なのです。

ブランディングと商標の関係

知的財産の分野でブランディングといえば、商標が真っ先に思い浮かびませんか。

商標は、①自他商品など識別機能、②出所表示機能、③品質保証機能、④宣伝広告機能、

⑤グッドウィル（信用や商品・サービスの品質などから生じる顧客を引きつける吸引力）

という5つの機能を兼ね備えています。

ブランディングにおいて、商標はターゲットとなる顧客に対して、ブランドを認識させるための強力な武器になります。**商標がもつ5つの機能を意識して、商標を使用することによる刺激をいかにして顧客に与えるかが、成功の鍵を握っています。**

商標には、文字商標、図形商標、立体商標、結合商標といった、以前から商標権による保護対象であったものの他、色彩商標、音商標、動き商標、ホログラム商標、位置商標といった、新しいタイプの商標として保護対象になったものがあります。商標権の保護対象からは外れていますが、香りの商標などもあります。

文字商標とは、カタカナやひらがな、漢字、アルファベット、外国語、数字などの文字のみによって構成される商標のことです。例えば、企業名や商品名、サービス名などが文字商標となります。

図形商標とは、ロゴマークやキャラクター、ロゴ状に表記した文字や図形によって構成される商標になります。

立体商標とは、例えばケンタッキー・フライド・チキンのカーネルサンダース立像や、不二家のペコちゃん人形、コカ・コーラの瓶などのように、立体物によって構成される商標です。

色彩商標とは、単色または複数の色彩の組み合せのみからなる商標です。例えば、セブン-イレブンの看板に描かれているオレンジ、赤、緑の3色の組み合わせが色彩商標にあたります。

音商標とは、音によって構成された商標になります。例えば、ＣＭなどに使われるサウンドロゴや、パソコンの起動音などのように、その音からブランドが思い起こされるようなものが音商標になります。

動き商標とは、文字や図形などが時間の経過にともなって変化する商標です。例えば、テレビやコンピューター画面などに映し出される文字や図形などで、時間の経過にともなって変化するものが該当します。

ホログラム商標とは、文字や図形などが変化する商標です。例えば、見る角度によって変化して見えるように、ホログラフィー（3次元像を平面に記録する技術）などの方法により示された文字や図形などが該当します。

位置商標とは、文字や図形などの標章を商品などに付す位置が特定される商標です。例えば、エドウイン社のジーンズの後ろポケットについている赤いラベル（タグ）のデザインや、アディダス社のウインドブレーカの袖上部に施された三本線のデザインなどが位置商標に該当します。

これら各種の商標は、ブランドを認識させるために、どのような刺激をターゲットとなる顧客に与えるのかを意識して使うことで、効果が高まります。

例えば、ブランディングにおいて、文字商標は、どのような書体の文字を使うのか、カタカナ、ひらがな、漢字、アルファベットなどのいずれを使うのかなどによって、見た目により顧客の視覚にどのような刺激を与えられるのかが変わってきます。また、文字商標の読み方次第で、語感により顧客の聴覚に与える刺激が変わってくるのです。

ロゴマークなどの図形商標を用いる場合には、フォルムや色を変えることにより、顧客に対して与える刺激を変化させることができます。図形商標は、文字商標以上に直感的な刺激を顧客に対して与えることができるため、文字商標だけでなく、図形商標も活用することにより、顧客に対して与える刺激を高める効果が期待できます。

文字商標や図形商標に加え、その他の商標も組み合わせれば、さらに高い効果が見込めます。

ブランディングを意識して商標を見直しましょう

ブランディング活動を行ううえで、商標は顧客に対してブランドをイメージさせる非常に重要な要素となります。

自社商標が、ブランディング活動に適したものであるのか、すぐに見直しましょう。

2 商標登録事例をヒントに考えるネーミング、キャッチコピー

ネーミングがブランディングに与える影響

ブランディングを行ううえで、ネーミングやキャッチコピーは、重要なブランド要素となります。ネーミング次第で、商品やサービスのブランドイメージが大きく変わり、売れ行きに多大な影響を及ぼします。

ネーミング変更で成功した事例として、第1章で紹介したネピアの「鼻セレブ」や、紳士用の靴下である「通勤快足」など、たくさんの事例があります。ネピアの「鼻セレブ」は、ネーミング変更で売上が前年比で10倍に跳ね上がり、「通勤快足」は発売当初と比べて、15倍の年間売上をたたき出しました。これらの事例は、ネーミングがブランディングに与える影響力の大きさを物語っています。

ブランディングとネーミングの関係

このような事例を紹介すると、行動力のある経営者や経営幹部は、「うちも売れ行きの良くない商品のネーミングを変えてみよう」と行動を起こそうとします。

しかし、売上が大幅に上がった事例を分析すると、格好良さや親しみやすさなどといった小手先のテクニックでネーミングを変えたのではなく、どのような顧客に何を売りたいのか、その顧客に抱いてほしいブランドイメージはどのようなものなのかといった根本的なところから検討し、ブランドを再構築しています。

例えば、伊藤園の事例では、第1章でふれたとおり商品名を「缶入り煎茶」から「お〜

いお茶」に変更するだけでなく、社名も変更しています。伊藤園は、もともとフロンティア製茶という社名でしたが、自社でお茶製品を作るビジネスモデルへの転換を機に、取り引き先のお茶問屋が所有していた「伊藤園」という名ののれんを譲り受け、社名変更しました。伊藤園は、商品名だけでなく、社名まで変更することにより、顧客に歴史を感じさせるブランドイメージを構築し、成功を収めたのです。

ブランドイメージに合う他の業界の商標登録例を見てみましょう

商品名やサービス名、屋号などを決めるときに、顧客に抱いてほしいブランドイメージを定めることができれば、そのイメージに沿った言葉を選ぶことにより、効果の高いネーミングを行うことができます。

ネーミングを考える際には、例えばネーミング辞典と呼ばれるような本を活用して候補となる言葉を探す方法や、言葉の組み合わせ方などを使った方法など、さまざまな方法が提唱されていますが、ここではあまり紹介されていない方法として商標登録例を活用する方法を紹介します。

まず、顧客に抱いてほしいブランドイメージが決まれば、そのようなイメージをもつ商品やサービスを提供している他の業界を、ベンチマークの対象として選びます。例えば、ブランドイメージをラグジュアリーなものに決めたときには、高級なホテルや貴金属店、アパレル業界などがベンチマークの候補になります。

最初から自社と同じ業界をベンチマークの対象として選んでしまうと、固定概念にとらわれて視野が狭くなったり、同業他社と同じようなネーミングになったりする可能性があります。できるだけ、ブランドイメージに沿う印象があり、自社とは違う業界として、どのようなものがあるのかを考え、ベンチマークの対象を選んでみてください。

ベンチマークの対象となる業界が決まれば、その業界の商標出願例を調べます。商標の登録例は、特許庁の外郭団体である工業所有権情報・研修館が提供しているJ-Plat Pat特許情報プラットフォームにて、検索し、無料で情報を入手することができます（https://www.j-platpat.inpit.go.jp/）。

J-Plat Patでは、商標の名称や、商標権者の氏名や名称など、さまざまな切り口で商標検索ができます。そのため、他の業界で気になる会社があれば、その企業名で検索をすると、その企業の商標権をリストアップすることができます。

また、J-Plat Patでは、「類似群コード」や「区分」と呼ばれるものを指標にして商標検索を行うことができます。区分というものは、商標が使用される商品やサービスを分類したものであり、45のカテゴリに分類されています。第1類から第34類までが商品についてのカテゴリ、第35類から第45類までがサービスのカテゴリです。また、類似群コードとは、特許庁の審査において、類似の商品または役務と判断される範囲を示したコードのことをいいます。

区分よりも類似群コードで指定するほうが、特定の商品やサービスの商標を検索でヒットさせることができます。しかし、J-Plat Patでの検索に慣れていない場合は、区分で指定するほうが手軽です。

ネーミングの参考にするための調査なので、多少のブレがあるほうが興味深い商標に出合う可能性も高くなります。そのため、ネーミングの参考例を探すために商標検索をするときには、まずは区分で指定してみるとよいと思われます。

ベンチマークの対象とする業界の商品やサービスが含まれる「区分」は、J-Plat Patにおいて、商標についての項目の中に含まれている「商品・役務名検索」(https://www.j-platpat.inpit.go.jp/t1201)で商品名やサービス名を指定して検索することができます。

区分を指定して検索を行うことで、該当する商標がリストアップされます。

区分だけを指定すると膨大な数の商標がヒットします。J-Plat Patでは、検索オプションとして、出願日や登録日などの日付を検索項目に入れることができます。時代によってネーミングのトレンドがあることを考慮し、例えば、直近1年の出願に限定するなどして検索を行えば、検索ヒット数を絞り込むことができます。

J-Plat Patで検索すると、気になるものがいくつか出てくると思います。ピックアップした商標を参考にすれば、何もないところからひねり出すよりも簡単に、良いネーミング案に到達することができます。なお、他の商標登録例を参考にしてネーミングを考えるときにも、他社の商標権侵害にならず、自社の商品やサービスの名前として商標登録できるかを必ず確認するようにしましょう。

3―信用の旗印　まずは商標権を死守せよ

ブランディングにおける商標権の重要性

自社が提供する商品やサービスがすばらしいものであったとしても、その存在を顧客が知らず、知っていても思い出せなければ買うことができません。

そのため、**ブランディングにおいて、顧客に繰り返しブランドを認識してもらい、ニーズが発生したときに思い起こしてもらうことが重要になります。**

顧客に自社ブランドを認識してもらう場面を増やし、思い起こしてもらえる確率を高めるためには、一貫性をもって意図的かつ継続的に、自社ブランドについての刺激を顧客に対して与え続けなければいけません。

ブランディングを成功させるためには、商品・サービス名を表す文字商標や図形商標などの商標に一貫性（統一感）をもたせ、使用し続ける必要があります。

ブランディング活動を継続的に安心して行えるようにするためには、ブランディング要素を構成する商標を商標権として押さえ、自社商標と同一の商標が模倣して使用されたり、類似した紛らわしい商標が使用されたりするのを確実に排除する必要があります。

逆に、商標権について何も調べずにビジネスを始めてしまい、うかつに商標を使用してしまうと、他社の商標権を侵害する可能性があります。このことが発覚すると、それまで構築してきたブランドイメージが、一気にマイナスに転落します。商標権侵害により、ビジネス上の信頼を損なってしまうと、金銭では代えがたい大きな損害が発生します。

ビジネスの規模が小さいうちは、商標権を侵害している者と同様に、商標権者が自社の商標権が侵害されていることに気づかないケースが多いため、商標権侵害に問われるケースは少ないかもしれません。

しかし、ビジネスがうまくいき、いろいろなところで話題になり始めると、やがて商標権者の耳にも入り、商標権侵害として訴えられる可能性が高くなります。ビジネスが軌道に乗っている状態で商標権侵害が発覚すると、顧客の信頼を裏切ることになり、取り返しのつかない状態になります。また、ビジネスが軌道に乗っているぶん、商標権侵害にともなう損害賠償額も大きくなります。

商標権侵害でブランド価値が毀損《きそん》した事例

実際、このような問題は、大なり小なり、いろいろなところで起こっています。有名な事例では、大阪の繁華街である梅田・北新地で「堂島ロール」というロールケーキの販売で売上を伸ばしていた旧社名株式会社モンシュシュ（現社名 モンシェール）が商標権侵害としてゴンチャロフ製菓から訴えられた事件があります。

株式会社モンシュシュが「モンシュシュ」の商標権を取得していましたが、その商標権の対象となる商品・サービスがロールケーキを含むものでなかったため、「菓子・パン類」を指定商品として「モンシュシュ」の商標権を以前から所有していたゴンチャロフに対し、商標権侵害となりました。そこで同社では、権利侵害が争われた商標権が「モンシュシュ」という商標に関するものであるのに対し、商品名は「堂島ロール」であること、屋号としての商標の使用は商標権侵害の例外とされる規定があることなどを裁判で主張。しかし、裁判所は、堂島ロールに対する社名の記載形態が商標としての使用に該当し、商標権侵害に当たると判断し、「モンシュシュ」という商標の使用差し止めと、損害賠償として約5140万円の支払いを命じました。

その結果、株式会社モンシュシュは、社名をモンシェールに変更するとともに、多額の賠償金を支払っただけでなく、業務上の信用を失うことになったのです。

ブランドが乗っ取られかけた事例

自社の商品を顧客に識別してもらえる状況になるまで、ブランディング活動にかける労力や費用、時間は並大抵のものではありません。

そのため、地道なブランディング活動を行って、一生懸命育ててきたブランドは、大きな財産的な価値を持っています。

価値のあるブランドになればなるほど、きちんとした防御をしておかなければ、突然乗っ取られてしまうリスクが高まります。

つい先日も、大阪市内で飲食業を営むD社から、自社が経営している飲食店の店舗名について商標権を他社に取られてしまったという相談がありました。その飲食店は、D社が運営しているいくつかの飲食店のうちでも、高級路線を売りにしている店舗ということあり、多額の費用をかけてブランディング活動をしてきたとのこと。そのかいもあって、お店は大盛況になりました。

そんなさなか、D社に届いたのが、商標権侵害の警告書でした。警告書には、店舗名の変更を求める記載があり、店舗名を変えられないなら商標権を500万円で買ってほしいという要求が書かれていました。警告書が来た段階で、D社の顧問弁護士を介して私のもとに相談が来たのですが、商標権を取得されてしまっている状況で窮地に追い込まれていました。

このような状況で、相手方の言うように店名を変えるとなると、これまでのブランディング活動で培ってきたブランドの価値がなくなってしまうばかりか、顧客の信用を損なってしまいかねません。また、相手方から商標権を買うとなると、資金面で大きな負担が生じます。しかし、相手方に商標権が取得されている以上、通常であれば、商標権侵害にならないように名称変更を行うか、あるいは商標権を買ったり、ライセンスを受けたりすることを検討しなければいけません。

しかし、この案件では、相手方が取得していた商標権に商標法上の問題があったため、商標登録を取り消す手続を特許庁に申し立てることができ、無事に商標権が取り消されました。そのため、D社は、相手方の要求に屈することなく、ブランドの乗っ取りを回避できました。この案件は、たまたま商標登録に問題があったので相手の商標権を取り消すことができましたが、通常であれば簡単には商標権を取り消すことができません。

自社の商品やサービスについては、一刻も早く商標出願して商標権を取得し、ブランドの乗っ取りから死守してください。

今すぐ、商標権を確認しましょう

ブランディング活動のための第一歩として商標権を押さえるのは、ビジネスを行ううえで最重要課題のひとつです。自社の商品やサービスの名前について、抜かりなく商標権が確保されているか、すぐに確認してください。また、**パスポートと同様に、商標権は、10年あるいは5年ごとに登録の更新が必要**です。商標登録したものであっても、更新期間が過ぎていると何の意味もありません。更新期限が過ぎていないかについても忘れず確認してください。

4 ― 広報を活用したブランディング

広報（プレスリリース）とは

広報（プレスリリース）とは、新聞や雑誌、テレビ、インターネットなどのメディアに対して情報を提供することにより、記事や番組として取り上げてもらい、多くの読者や視聴者に向けて情報発信する方法です。

新聞や雑誌、テレビなどの媒体に広告を打つと、非常にコストがかかりますが、広報活動により記事や番組として取り上げてもらえれば、宣伝広告費用をかけることなく、強力な情報発信を行うことができます。

公共性の高いメディアを介して情報発信されれば、客観性が高く、売り込みのイメージの低い情報発信を行うことができます。そのため、プレスリリースを活用することができれば、ブランディングに有効活用できます。

近年、新聞の発行部数やテレビの視聴率は、低下する傾向にあります。このような傾向は、これまで誰もが新聞を読んだり、テレビを見たりしていたのが、本当に新聞やテレビからの情報がほしい人に絞られるようになった結果です。逆に広報活動により新聞やテレビなどのマスメディアに取り上げられれば、本当に情報を入手したい人に届きやすい状況になってきているともいえます。

これらのメディアに加え、インターネットが新たな媒体として加わったことにより、以前に比べて広報活動の対象が広がり、一般大衆向けではないコアな情報でも取り上げてもらえる媒体が増えています。広報活動の対象となる情報に応じて、最適な媒体を選択できるようになってきており、取り上げられる確率も高くなっています。

広報を活用したブランディングを行うために重要なこと

広報を活用したブランディングを成功させるためには、リリースする情報について、①社会性、②新規性、③経済効果の3つの情報を明確にする必要があります。

まず、ひとつめの条件である社会性について。新聞や雑誌の記者、テレビの報道関係者らは、広告宣伝費をかけないために情報集めや取材をしているわけではありません。社会に対して有用な情報を伝えたいという使命感をもって、必死に取材をして記事や番組を作っています。

広報活動を行って取材をしてもらうためには、社会性があり、読み手に有益となる情報であることが重要になります。

ふたつめの条件である新規性は、情報の新鮮さのことです。

記者達は、誰もが見たこともないような新しい情報を日々探しています。他の媒体で取り上げられた新鮮味に欠ける情報は、よほど魅力がなければ取り上げてもらえる可能性は低くなります。広報活動を成功させるためには、情報の新鮮さ（新規性）も重要な要素となります。

3つめの条件として、どの程度の経済効果が見込まれるかも、重要な要素となります。社会的にどのようなインパクトがあるかを、経済効果の見込みによってアピールできれば、広報活動の成功率を高めることができます。

広報活動を行うときに注意したい知的財産の留意点

広報活動は、ブランディングを行ううえで非常にインパクトがあり、多くの人に自社製品やサービスを知ってもらうことができる効果的な手法です。

広報活動を行うことで、多くの人に知られることになるため、自社の知的財産を守るための対策は十分に講じておかなければなりません。最悪の場合、他社に自社の情報を漏洩《ろうえい》することになり、その結果、自社が大切にしてきた市場を他社に荒らされる可能性さえあります。

リスクを回避するためにも、商品やサービスをリリースする前に、特許や商標などの知的財産について、抜かりなく特許庁への出願手続を済ませておく必要があります。特に、商品やサービスが公開されると、そのアイデアやデザインを特許権や実用新案権、意匠権で守ることができなくなってしまうリスクがあります。新規性は新聞やテレビなどの媒体に取り上げてもらうための重要な要素になりますが、それ以上に知的財産権を取得するうえでは重要な要素となります。商標に関しては、守秘義務のない第三者に知られた後でも権利を取得することはできます。

しかし、商標出願をしないまま新聞やテレビなどに取り上げられると、それを見た悪意のある第三者によって商標出願されてしまい、取り返しのつかない状態になるリスクが発生します。

広報活動を行う場合には、知的財産権を取得するための検討や準備が事前に完了していることが必須となります。

さっそく準備を整えて、広報活動をしてみましょう

広報活動は、ブランディングを行ううえで、強力な武器になる活動です。ただし、広報活動を行ったからといって、必ず新聞や雑誌、テレビなどに取り上げてもらえるわけではありません。まずは準備を整えて、手軽なネタから新聞社や出版社、テレビ局などのメディア向けのプレスリリースを作成し、発信してみましょう。

プレスリリースに困ったときや、ここぞという情報があるときには、私の所属している「広報ジャーナリスト協会」や、当協会の代表を務めている福満《ふくみつ》〝グリズリー〟ヒロユキ氏のような広報の専門家に相談してみるとよいでしょう。

5 商標だけじゃない、ブランディングに役立つ知的財産の使い方

「ブランディングといえば商標」という固定観念を捨てよう

知的財産の分野でブランディングといえば、商標が頭に浮かぶと思いますが、その固定観念は捨てましょう。

知的財産には、商標の他に、特許や実用新案、意匠などがあります。これらの知的財産も、ブランディングに活用することができます。

通販番組に学ぶ、知的財産を活用したブランド価値の高め方

通販番組を見ていると、魅力的な商品がたくさん紹介されています。みなさんのなかにも、思わず買ってしまった人も多いのではないでしょうか。

通販番組では、デパートやスーパー、ホームセンターなどで売られているメジャーなメーカーの商品が紹介されることもありますが、あまり知られていないメーカーの商品が紹介されることが多くありませんか。このような商品は、メーカーのブランド力では売れません。また、通販番組において、ひとつの商品の紹介に与えられる時間はそれほど長くありません。通販番組で商品を売るためには、短い時間で商品の価値を感じてもらえる工夫が必要です。通販番組で商品を紹介する販売員のセールストークには、商品の魅力を引き立てる、さまざまなテクニックが仕込まれているのです。

セールストークのテクニックのひとつに、**「権威性の付与」**という手法があります。このテクニックは、例えば「○○氏も絶賛！」というように、権威者の名前を借りて、その人の推薦やお墨付きがあることを伝えるなどして、商品の権威付けを行う方法です。この手

法は、通信販売だけでなく、さまざまな場面で使われています。

書店で売られている書籍の帯などでも、このようなコピーが書かれたものがたくさんありますが、これも「権威性の付与」という手法を使ったものなのです。

権威性を伝える方法として、通販番組では、「この商品は、NASAで開発された素材を使い、アメリカでも特許取得済みです」といったセールストークが展開されていることがあります。このセールストークは、私が実際に夜中の通販番組で聞いたものなのですが、実に巧妙なしかけがなされています。このセールストークでは、「NASA」という、技術の最先端をイメージさせる言葉を使うのに加えて、「特許取得済み」という言葉を組み合わせることにより、権威性を二重にアピールしています。

ちなみに、アメリカでも特許取得済みと言っていますが、特許権は国ごとに権利が発生する仕組みのため、アメリカでの特許があるとしても日本ではまったく効力がありません。また、日本の通販番組なのに、特許権をアピールしていないということは、日本で特許権が取れなかった可能性すらあります。

このような勘ぐりをするのは、私達、弁理士のような専門知識をもっている人だけです。

一般の消費者は、そのような疑問をもたず、「技術の最先端であるアメリカで特許がとれるぐらい、すごい商品なんだろう」と思うはずです。このセールストークがうまいのは、アメリカ航空宇宙局を示すＮＡＳＡと、アメリカの特許を組み合わせているところです。ＮＡＳＡで開発された素材を使っているので、アメリカの特許と言われてもまったく違和感がないどころか、むしろ説得力すらあります。

このように、日本ではまったく特許権の効力を発揮しないアメリカの特許ですら、ブランディングにおいては権威付けとして高い効果が期待できます。自社の知的財産でなくても、例えば、この事例における「ＮＡＳＡで開発された素材」のように、他社が知的財産をもっているものを使用していることをアピールするなどの手法によっても、権威性をブランディングに用いることができます。

特許権をすでに取得できている事例を紹介しましたが、こういった権利がまだ取れていない状態でも、知的財産による権威性をブランディングに用いることができます。例えば、特許出願をしたもののまだ権利取得できていない状態でも、「特許出願中」や「特許出願済み」などとアピールすることにより、権威性をブランディングに用いることができます。

実用新案については、一定の要件さえ満たせば、アイデアの新しさやレベルの高さにかかわらず、必ず権利を取得できるものですが、うまく使うことができれば、権威性をアピールして、ブランディングに用いることができます。

意匠権については、特許権に比べて権利取得しやすいといわれています。意匠権は、デザインコンテストやグッドデザイン賞のように、デザインのすばらしさなど美術的、芸術的な側面が評価されて登録になるのではありません。デザインの新しさや、既に存在していた意匠などから容易に創作できるものであるか否かなどを判断基準として登録が認められます。

意匠登録されていることや、意匠出願を済ませていることをアピールすれば、ブランディングにおいてデザインをアピールするうえで権威付けとして有効に機能します。

SEO対策にも有効な知的財産

権威性は、特定のキーワードでインターネット検索された場合に、自社サイトが検索結果の上位に表示されるために行われるSEO対策（Search Engine Optimization）が重視されています。Googleは、ページの検索順位を上げるための基準として、「リンクがついていること」に加えて、「高品質なコンテンツであること」が必須であるといわれています。

「高品質なコンテンツ」として認められるための必須要素として、「E-A-T」と呼ばれるものがあります。この「E-A-T」は、Google社による造語で、Expertise（専門性）、Authoritativeness（権威性）、Trustworthiness（信頼性）の頭文字を組み合わせたものです。「検索品質評価ガイドライン」において「ページ品質評価の最重要項目」としてE-A-Tを位置付けており、**「E-A-Tを制する者はSEOを制す」**とまで呼ばれるぐらい重要視されています。

特許などの知的財産権は、Expertise（専門性）がなければ登録されません。知的財産権は、Authoritativeness（権威性）をアピールするうえで非常に有効な材料となります。知的財産権は、特許庁による審査を経て登録されるものであり、いわば国による認証がなされたものであるため、Trustworthiness（信頼性）の面においても非常に有効なアピール材料となります。

また、自社の商品やサービスについての「E-A-T」をアピールするための材料として非常に有効であり、小手先のSEOテクニックに頼ることなく、Googleの「検索品質評価ガイドライン」を満たせるようになります。SEO対策のためにたくさんの資金を注入するのであれば、その一部を特許権などの取得に使ってみてはいかがでしょうか。

第5章

ここがポイント！

- ブランディングとは、顧客が商品やサービスを識別できる状態にすること。

- ブランディングは、自社の商品やサービスを、他社のものから識別できる状態にするためのものであり、差別化・独自化を図るうえで必須。

- ブランディングを行ううえで、ネーミングやキャッチコピー、ロゴマークなどは重要なブランド要素となる。

- 顧客に自社ブランドを認識してもらう場面を増やし、自社ブランドを思い起こしてもらう確率を高めるためには、一貫性をもって意図的かつ継続的に自社ブランドについての刺激を顧客に与え続けることが必要。

- ブランディングに用いる商標が、他社の商標権侵害にならず、自社の商品やサービスの名前として商標登録できるか確認することは、ビジネスをするうえで必須。

- 自社の商品やサービスについては、一刻も早く商標出願して商標権を取得し、ブランドの乗っ取りから死守を！

- 広報活動（プレスリリース）は、ブランディングを行ううえで非常にインパクトがあるため、積極的な活用の検討を。

- 知的財産権は、Authoritativeness（権威性）をアピールするために、有効活用できる。

おわりに

ここまで本書をお読みいただき、ありがとうございます。
ひとつでも、お役に立てる話があったとすれば、大変うれしい限りです。

この本が企画された2020年、中国・武漢から始まった新型コロナウイルス感染症（COVID-19）による被害は、世界経済を混乱に陥れ、今もまだ収束の気配が見えていません。歴史の教科書に載るような大変革の時代を迎えている現在、常識であったことが常識でなくなりました。

このような大変革期を迎え、新たな時代を迎えようとしている今、社会の変化に合わせてビジネスも柔軟に変化することを余儀なくされています。まさに、ドラッカー氏がイノベーションを生み出すための7つの機会として提唱していることが、重畳《ちょうじょう》的に発生している状況にあります。

世界全体で「予期せぬこと」が起こり、「ギャップ」や「新たなニーズ」が生まれました。

時短要請や、緊急事態宣言の発令などの影響により、飲食業や旅行業界など、さまざまな業界に大きな打撃が加わりました。その影響を受け、企業の20・3％で業態転換を予定しており、飲食店では実に45・2％が業態転換を予定しているとの調査結果が報告されており、すでに「産業構造の変化」も始まっている状況です（帝国データバンク「新型コロナウイルス感染症に対する企業の意識調査（２０２０年12月）」より引用）。

大変悲しいことに、死者も多数出ている現況において、今後、世界規模で「人口構造の変化」が起こることも予測されます。

これまでとはレベルの違う「認識の変化」が起こっています。今までは、「仕事は出社してやるもの」「打ち合わせは直接会ってするもの」と誰もが疑わなかったのが、自宅などの遠隔地で仕事をするテレワークや、リモート会議を行うのが不自然でなくなり、距離や時間の認識も大転換しました。その結果、シンボルであったはずの本社ビルを売却する企業や、本社を地方に移転する企業があらわれるなど、認識の変化がもたらす影響が次々と発生しています。

このような世界的な危機を迎え、驚異的なスピードで、かつて実用化されたことのないタイプのワクチンが開発されたり、テレワークのための新しい技術が開発されたり、「新しい知識」が出現しています。

イノベーションを生み出すための7つの機会のすべてが同時に起こっている今こそ、みなさんの会社に変革を起こし、新たな第一歩を踏み出すための機会になるのは間違いありません。不安定な状況だからこそ、これまで活用しきれていなかった知的財産に目を向け、本書でお伝えしたことのひとつでも会社の変革に役立てていただければ、知的財産を生業とする私にとってこれ以上うれしいことはありません。

なお、本書を出版するのにあたり、さまざまな方々にお世話になりました。

本書でお伝えした経営戦略の基礎をなすドラッカー氏の経営理論を学ばせていただいた、『藤屋式ニッチ戦略塾』主宰の藤屋伸二先生はもちろんのこと、同塾の塾長研修でともに学ばせていただいた井上寛さん、杉山穰さん、小澤昌人さん、類家元之さん、清水俊雄さん、佐々木大輔さん、飯田章貴さん、そして同塾長研修仲間でもあり、この出版のコンサルティングをしていただいた天田幸宏さんには、大変お世話になり、感謝しております。

さらに、合同フォレスト株式会社の松本威社長、編集を担当された菊地一浩さんをはじめ、本書の出版に携わってくださった方々にも、大変感謝をしております。

最後に、本書の執筆のために週末や年末年始休暇も、時間を与えてくれた家族にも、この場をお借りして感謝の意を伝えたいと思います。

いつの日か、本書をお読みいただいたあなたとお会いできる日がくることを楽しみにしております。

2021年7月吉日

嵜山　博教

参考文献

『ドラッカー名著集1　経営者の条件』（P．F．ドラッカー著　上田惇生訳　ダイヤモンド社）
『明日を支配するもの―21世紀のマネジメント革命』（P．F．ドラッカー著　上田惇生訳　ダイヤモンド社）
『マネジメント［エッセンシャル版］―基本と原則』（P．F．ドラッカー著　上田惇生訳　ダイヤモンド社）
『ドラッカー名著集6　創造する経営者』（P．F．ドラッカー著　上田惇生訳　ダイヤモンド社）
『イノベーションと企業家精神［エッセンシャル版］』（P．F．ドラッカー著　上田惇生訳　ダイヤモンド社）
『ドラッカーに学ぶ「ニッチ戦略」の教科書』（藤屋伸二著　ダイレクト出版）
『48の成功事例で読み解くドラッカーのイノベーション』（藤屋伸二著　すばる舎）
『図解で学ぶ ドラッカー戦略』（藤屋伸二著　日本能率協会マネジメントセンター）
『「ネジザウルス」の逆襲』（高崎充弘著　日本実業出版社）
『経営戦略を成功に導く知財戦略【実践事例集】』（特許庁）
『経営における知財戦略事例集』（特許庁）
『一歩先行く国内外ベンチャー企業の知的財産戦略事例集』（特許庁）

※本書内において、事例として登場する伏字の会社は、
所在地や業種を変更して紹介している場合があります。

著者プロフィール

﨑山 博教 （さきやま　ひろのり）

エグゼクティブIPコンサルタント/弁理士
ザック国際特許事務所所長/ザック株式会社　代表取締役。

1974年、和歌山県生まれ。化学系メーカーの研究開発部門に勤務した後、20代後半で特許事務所へ転職。機械系の技術分野を中心に特許出願をサポートし、1500件を超える特許や商標案件に携わる。クライアントの立場や市場背景を踏まえた質問力を駆使し、「価値ある強み」を見出す力は高く評価され、特許出願の依頼が急増。2013年にザック国際特許事務所を設立。

ドラッカー理論をベースにしたIP（知的財産）コンサルティングにも定評があり、単なる特許出願にとどまらない「エグゼクティブIP戦略」を体系化。顧客からは「理想とする企業から提携オファーが増えた」「小さいながらも独占市場を獲得できた」「特許の戦略的な使い方が理解できた」といった声が寄せられる。

元吉備国際大学大学院知的財産研究科非常勤講師。関西大学大学院工学研究科（化学工学専攻）修了。

ザック国際特許事務所
公式サイト　http://www.zack-pat.com/

企画協力　天田 幸宏（コンセプトワークス株式会社）
編集協力　菊地 一浩
組　版　鈴木 海太
装　幀　華本 達哉（aozora.tv）
校　正　藤本 優子

いまこそ知りたい!
小さな会社を強くする「知的財産」の戦略教室

2021 年 8 月 27 日　第 1 刷発行

著　者　崎山　博教
発行者　松本　威
発　行　合同フォレスト株式会社
郵便番号 184-0001
東京都小金井市関野町 1-6-10
電話 042（401）2939　FAX 042（401）2931
振替 00170-4-324578
ホームページ　http://www.godo-forest.co.jp
発　売　合同出版株式会社
郵便番号 184-0001
東京都小金井市関野町 1-6-10
電話 042（401）2930　FAX 042（401）2931
印刷・製本　新灯印刷株式会社

ISBN 978-4-7726-6195-9　NDC336　188 × 130